CLINIQUE
MAYO

La dépression

CLINIQUE MAYO

La dépression

Keith Kramlinger, M.D.

Révision scientifique de la version française

Brian G. Bexton, M.D., F.R.C.P.(C). Psychiatre, psychanalyste.
Président de l'Association des médecins psychiatres du Québec.

Clinique des maladies affectives.
Hôpital du Sacré-Coeur de Montréal.

 **Broquet**

97-B, Montée des Bouleaux
Saint-Constant, Qc, J5A 1A9
Tél.: (450) 638-3338 Fax: (450) 638-4338
Web: www.broquet.qc.ca / Courriel: info@broquet.qc.ca

Catalogage avant publication de Bibliothèque et Archives Canada

Vedette principale au titre :

La dépression

Traduction de: Mayo Clinic on depression.
Comprend un index.

ISBN 2-89000-758-8

1. Dépression. 2. Psychose maniacodépressive. 3. Dépression - Traitement. I. Kramlinger, Keith. II. Mayo Clinic.

RC537.M3914 2006   616.85'27   C2006-940345-7

POUR L'AIDE À LA RÉALISATION DE SON PROGRAMME ÉDITORIAL, L'ÉDITEUR REMERCIE :

Le Gouvernement du Canada par l'entremise du Programme d'Aide au Développement de l'Industrie de l'Édition (PADIÉ) ; La Société de Développement des Entreprises Culturelles (SODEC) ; L'Association pour l'Exportation du Livre Canadien (AELC).
Le Gouvernement du Québec - Programme de crédit d'impôt pour l'édition de livres - Gestion SODEC.

Nous désirons remercier **Monsieur Jean-Rémy Provost,** Directeur général de l'Association REVIVRE, pour sa collaboration à la réalisation de la version française de ce livre.

Traduction : Normand Lebeau
Révision :
Andrée Lavoie, inf., B. Sc., M. Ed.,
Nicole Perreault

Révision scientifique de la version française : Brian G. Bexton, M.D., F.R.C.P.(C)
Photo page couverture © :
Eric Audras (Photo Alto)

Titre original : Mayo Clinic on Depression
Publié par Mayo Clinic
Copyright © 2001 Mayo Foundation
for Medical Education and Research
All rights reserved

Pour l'édition en langue française :
Copyright © Ottawa 2006
Broquet Inc.
Dépôt légal — Bibliothèque nationale du Québec
1er trimestre 2006

ISBN : 2-89000-758-8
Imprimé au Québec

Équipe de rédaction

Éditeur en chef
Keith Kramlinger, M.D.

Éditeurs associés
Matthew Clark, Ph. D.
Lois Krahn, M.D.
Kemuel Philbrick, M. D.
Richard Seime, Ph. D.
Bruce Sutor, M. D.
Lloyd Wells, M. D.

Directeur de la rédaction
Karen Wallevand

Réviseure
Mary Duerson

Correcteurs d'épreuves
Miranda Attlesey
Donna Hanson

Recherchistes
Deirdre Herman
Michelle Hewlett

Collaborateurs
Lee Engfer
Rebecca Gonzalez-Campoy
Tamara Kuhn
Stephen Miller
Carol Pearson, M. D.
Robin Silverman

Directeur artistique
Daniel Brevick

Infographiste
Paul Krause

Photographes
Michael King
Richard Madsen
Christopher Srnka

Auteur de l'index
Larry Harrison

Réviseurs et Collaborateurs

Sara Berg, M.S.S.
Ann Decker, J.D.
Joanne Ericksen, R.N.
Christopher Frye
Mark Hensen, M.D.
Clifford Jack, M.D.
Siong-Chi Lin, M.D.

Toshihiko Maruta M.D.
Joseph Parisi, M.D.
Keith Rasmussen,
M.D.Elliott Richelson, M.D.
Christine Sadowski, Ph. D.
Shirlene Sampson, M.D.

Table des matières

PARTIE 3 : GROUPES ET PROBLÈMES SPÉCIFIQUES

Préface

Nous avons tous souffert d'une période de «déprime» suite à une déception ou une période difficile. La déprime est une réaction aux événements et, en général, ne dure que quelques jours voire une semaine ou deux.

Par contre, la dépression majeure est une maladie sérieuse qui touche le fonctionnement de la personne atteinte pendant plusieurs mois ou même des années. Contrairement à certains préjugés véhiculés, la dépression majeure n'est pas associée à une faiblesse de caractère, un manque de volonté ou une maladie imaginaire.

La dépression majeure est une maladie réelle qui touche 5 % de la population chaque année, et ceci dans toutes les couches de la société. Malheureusement, à cause des préjugés, beaucoup de personnes atteintes ne consultent pas ou hésitent à consulter, car elles ne connaissent pas les signes et symptômes de la maladie. Heureusement, le traitement de la dépression s'est grandement amélioré depuis quelques années et la plupart des personnes atteintes peuvent retrouver un fonctionnement normal et une vie productive et heureuse.

Ce livre vous aidera à mieux comprendre la maladie, les facteurs psychologiques et biologiques associés et les formes de traitement disponibles. Avec l'aide de votre médecin, de votre famille et de vos amis, vous pouvez retrouver l'espoir de recouvrer la santé et la joie de vivre.

Brian G. Bexton

Partie 1
Comprendre la dépression

Chapitre 1

Qu'est-ce que la dépression?

Selon le romancier William Styron, la dépression est « l'absence totale de mots pour décrire une aussi grave maladie ». La douceur du mot ne traduit pas toute l'angoisse, voire le supplice que subit une personne en dépression. Le terme *dépression* a plusieurs significations. Il s'agit d'une expression courante pour décrire un creux de vague ou la dénivellation du sol. Dans le monde financier, il est synonyme de crise économique et en météorologie, il réfère à un climat tropical susceptible d'engendrer un ouragan ou un cyclone. Du point de vue des astronautes, la dépression est la distance d'un objet céleste situé au-dessous de l'horizon. Toutefois, l'usage le plus courant l'associe à un état d'âme. De façon générale, le terme dépression fait référence à un état passager de tristesse, résultant d'une mauvaise journée ou d'un sentiment de profond malaise. Médicalement parlant, la dépression est une grave maladie qui affecte la mémoire, la pensée, (les fonctions cognitives), l'humeur (état d'esprit), et qui se traduit par des changements physiques et comportementaux. Elle a un impact sur la façon de se sentir, de penser, de manger, de dormir et d'agir.

Bon nombre de personnes, tant celles qui ont vécu la maladie que les parents et amis qui ont aidé des êtres chers qui en souffraient, sont familières avec les incidences profondes de la dépression. La dépression est l'une des maladies les plus répandues en Amérique du Nord et partout dans le monde. À un moment ou l'autre de sa vie, une personne sur quatre connaîtra au moins un épisode de dépression.

La bonne nouvelle, c'est qu'il existe des traitements contre la dépression. Des médicaments de meilleure qualité et la disponibilité de thérapies médicales et psychologiques permettent de surmonter la dépression plutôt que de la supporter. Grâce à des traitements appropriés, la plupart des gens en sortent et sont en mesure de reprendre leurs activités au bout de quelques semaines. Ils recouvrent graduellement leur énergie et le goût de vivre, émergeant de ce qui leur a semblé être une période de noirceur et de morosité.

Ce livre peut vous aider à mieux comprendre pourquoi la dépression survient, comment elle peut affecter votre vie et comment réagir face à cette maladie complexe, souvent troublante et qui peut s'avérer grave. Vous y trouverez également de l'information sur des groupes spécifiques tels que les femmes, les enfants et les personnes âgées, ainsi que pour des gens qui ont des problèmes particuliers, tels ceux dont la dépression est associée à une autre maladie mentale.

Définition de la dépression

La dépression a toujours existé. Des descriptions de maladies dépressives peuvent être retracées dans les textes de plusieurs civilisations anciennes. Dans l'Ancien Testament, le roi Saül démontre des signes classiques de dépression. Il est troublé par un «esprit malin» et finira éventuellement par se suicider. De très anciens textes anglais font référence à la *mélancolie,* terme qui a servi pendant des siècles à désigner les désordres émotionnels. Les écrivains anglais Chaucer et Shakespeare ont tous deux écrit sur la mélancolie.

Les premières descriptions médicales de la dépression remontent à Hippocrate, «ce père de la médecine, d'origine grecque», qui vivait au IVe siècle avant J.-C. Il croyait que la maladie mentale résultait de causes naturelles plutôt que de forces surnaturelles. Ses théories sur la mélancolie reposaient sur une surproduction de bile noire dans la rate, d'où *melan* pour noir et *cholia* pour bile. Pour guérir la dépression, Hippocrate recommandait un rééquilibrage de l'organisme par la détente et un mode de vie plus sain, des composantes qui font partie, aujourd'hui encore, de l'approche globale du traitement de la dépression.

Au fil des siècles, d'autres philosophes et médecins ont tenté de comprendre et de définir la dépression. Puisque dans l'usage courant, le terme *dépression* est plutôt vague, il n'est pas toujours facile de le définir et de l'identifier, car ses symptômes sont semblables à ceux d'autres maladies et peuvent s'apparenter au chagrin, au stress, à des problèmes d'insomnie, de vieillesse ou de surcharge de travail.

Bon nombre de personnes se disent déprimées quand elles se sentent tristes, seules ou abattues.

«Je suis si déprimé. J'ai tellement de travail que je crains de ne pas en voir la fin.» La maladie dépressive est beaucoup plus grave qu'un cafard passager ou une période de stress. La véritable dépression, ce que les médecins qualifient de maladie dépressive ou de dépression clinique, est différente d'une simple tristesse ou d'une période de découragement. La maladie dépressive, dans sa forme la plus courante, se caractérise par :

- une durée d'au moins deux semaines et souvent davantage ;
- des symptômes particuliers reliés à l'humeur, aux comportements, à la pensée et à la manière d'envisager les choses ;
- la difficulté à fonctionner dans les activités quotidiennes ;
- la nécessité de recourir à un traitement médical ou psychologique ou les deux.

Dans ce livre, quand nous employons le terme *dépression,* nous faisons référence au sens médical de la maladie.

Problème médical

Pendant des siècles, les gens ont considéré la dépression comme étant l'expression d'une faiblesse physique ou psychologique et ont souvent nié qu'il s'agissait d'un véritable problème de santé.

«Tout ceci n'existe que dans votre tête» répétaient couramment les gens aux personnes atteintes de dépression. Après plusieurs années de recherche, les médecins reconnaissent maintenant la dépression comme étant un problème d'ordre médical, une maladie qui repose sur des bases biologiques, souvent influencée par un stress psychologique ou social. Une interaction complexe de facteurs impliquant la génétique, le stress et des modifications aux niveaux du corps et du fonctionnement cérébral, semble jouer un rôle dans le développement de la dépression. Les personnes dépressives ont un taux anormalement bas de certaines substances biochimiques et démontrent une faible activité cellulaire dans certaines régions du cerveau, lesquelles contrôlent l'humeur, l'appétit, le sommeil et d'autres fonctions.

La dépression ne se contente pas d'agir sur l'humeur, elle peut également perturber le sommeil et les habitudes alimentaires, ainsi que réduire l'appétit sexuel. Elle s'infiltre dans les pensées et rend les idées plus négatives et pessimistes. Elle perturbe vos perceptions à l'égard de vous-même, détruit votre estime personnelle, influence vos agissements et vous rend souvent plus irritable et ambivalent.

La dépression peut se manifester seule, être la complication d'une autre maladie ou s'avérer la conséquence d'une consommation de médicaments ou de drogues. Elle peut également se produire à la suite d'un accouchement ou consécutivement à un abus de drogues ou d'alcool. La dépression peut aussi résulter d'un stress relié à un changement au travail, de la perte d'un être cher ou de tout autre événement difficile. Il arrive parfois qu'elle n'ait aucune cause apparente.

Au-delà du cafard

Chacun d'entre nous connaît au cours de son existence des périodes de chagrin, souvent consécutives à une perte, à un contretemps ou à un simple « ras-le-bol » du quotidien. Ces périodes sont accompagnés d'émotions désagréables, mais passagères.

Ces périodes de tristesse occasionnelles auxquelles chacun d'entre nous est exposé en raison des contrariétés de la vie, sont bien différentes de la dépression. La dépression est beaucoup plus qu'une mauvaise période, un épisode de cafard ou quelques jours de léthargie et n'a rien à voir avec un comportement négatif ou une attitude pessimiste.

Contrairement à une période de cafard, la dépression persiste durant une longue période, le sentiment de tristesse perdure et s'accompagne souvent d'émotions comme l'anxiété, l'agressivité, l'irritabilité, la culpabilité et le désespoir. Contrairement aux périodes de cafard, la dépression peut s'avérer débilitante.

Au-delà du chagrin et du deuil

Le chagrin est une réaction normale et nécessaire, suite à une perte significative comme le décès d'un être cher, la fin d'une relation amicale, un déménagement, une altération de l'état de santé ou la perte d'un animal de compagnie. Le chagrin et la dépression se ressemblent en plusieurs points. Ils ont comme symptômes communs la tristesse, la perte d'intérêt pour des activités généralement agréables et des problèmes de sommeil ou d'appétit. Toutefois, si le chagrin est un processus normal et sain, la dépression, elle, ne l'est pas.

La différence entre le chagrin et la dépression réside au niveau de la durée des sentiments et de l'intensité avec laquelle la dépression perturbe les activités quotidiennes. Celle-ci peut aggraver le chagrin de deux façons. D'une part, elle peut entraîner des symptômes à court terme, mais plus graves que ceux normalement associés au chagrin. D'autre part, elle produit des symptômes de tristesse qui persistent au-delà d'une période normale de chagrin et peut même les aggraver. Le deuil dure généralement une année complète, mais s'il est profond et persiste plus longtemps, il peut se transformer en dépression. Les études qui ont tenté d'établir la différence entre la dépression et le deuil ont révélé que la principale différence entre ces deux états s'avère l'auto-dévalorisation. Les gens qui vivent une dépression sont souvent habités d'un sentiment d'inutilité qui n'affecte pas les gens qui vivent un deuil.

Qui peut être atteint de dépression ?

Le premier épisode de dépression se produit généralement entre l'âge de 25 et 44 ans, mais la maladie peut aussi toucher les enfants, les adolescents et les personnes plus âgées. Le taux de dépression est plus bas chez les couples mariés et ceux qui entretiennent des relations privilégiées à long terme. La maladie touche plus fréquemment les gens divorcés ou séparés. Cependant, pour une raison inexplicable, elle semble également très répandue chez les gens qui font preuve de beaucoup de créativité (voir « Un groupe d'élite » en page suivante).

Personne n'est à l'abri de la dépression, peu importe l'âge, la race, la nationalité, l'occupation, le niveau de revenu ou le sexe. Cependant, le pourcentage de femmes atteintes de dépression est sensiblement plus élevé que celui des hommes. Cette différence est sans doute redevable en partie à des causes biologiques. Les expériences de vie, y compris les abus sexuels et autres peuvent également y contribuer. Être victime d'abus sexuel n'est pas exclusif aux femmes, mais elles en sont plus souvent victimes que les hommes.

Est-elle répandue ?

Si vous êtes déprimé, vous êtes loin d'être seul, car la dépression est l'un des problèmes médicaux les plus répandus en Amérique du Nord et en Europe. À un moment ou un autre de son existence, un Nord-Américain sur quatre connaîtra au moins un épisode de dépression. Cependant, plusieurs personnes sont incapables d'identifier la maladie dont ils souffrent et bon nombre de médecins hésitent à poser le diagnostic de la dépression.

Dans le cadre d'une récente enquête, 7 % des adultes en Amérique du Nord ont affirmé avoir connu un problème de santé mentale et 26 % disent avoir été au bord de la dépression nerveuse. Le terme *dépression nerveuse* n'a une connotation ni médicale, ni scientifique, mais les

Un groupe d'élite

« L'esprit est son propre maître ; il peut transformer un paradis en enfer et vice-versa », écrivait le poète John Milton au 17e siècle, dans son œuvre *Le paradis perdu*. Deux siècles plus tard, un autre poète, Lord Byron, au fait des humeurs changeantes des humains, décrivait « le credo de la détresse », qui « du malheur extirpe l'irrésistible éloquence ».

La liste des artistes qui ont souffert de dépression est longue et impressionnante. Chez les musiciens, on retrouve Robert Schumann, Ludwig van Beethoven, Peter Tchaikovsky et John Lennon, chez les peintres, Vincent van Gogh et Georgia O'Keeffe et chez les écrivains, Edgar Allan Poe, Mark Twain, Virginia Woolf, Ernest Hemingway, F. Scott Fitzgerald et Sylvia Plath.

Les hypothèses de l'existence d'un lien entre la créativité et la dépression remontent à l'Antiquité grecque. Les anciens Grecs croyaient qu'une sorte de folie divine était à l'origine de l'inspiration créatrice chez les mortels. Les scientifiques modernes ont réalisé des douzaines de recherches à ce sujet.

Même si les preuves sont minces, les recherches ont démontré que la dépression semble être plus fréquente chez les écrivains, les poètes, les artistes et les compositeurs. Une étude rapporte que les dépressions profondes sont deux fois plus importantes chez les gens de ce milieu que chez ceux œuvrant dans d'autres champs d'activités.

D'autres chercheurs nous rappellent que la corrélation entre la créativité et la dépression est exagérée et qu'il existe un grand nombre d'artistes stables sur le plan émotionnel. La plupart des chercheurs croient que la création s'accomplit malgré, et non seulement en raison d'une maladie émotionnelle. La dépression peut aussi bien mettre la création en veilleuse que l'exacerber.

résultats de cette étude viennent appuyer les théories voulant qu'un grand nombre de personnes éprouvent des symptômes de maladies mentales.

La dépression n'est pas un phénomène exclusif à l'Amérique du Nord ou à l'Europe. À l'échelle mondiale, elle occupe le quatrième rang parmi les causes de maladies dégénératives et de mort prématurée comme le révèle l'étude *Global Burden of Disease* Study, menée conjointement par la direction de l'école de Santé Publique de Harvard, l'Organisation mondiale de la Santé (OMS) et la Banque Mondiale. Les statistiques démontrent que la dépression prend de plus en plus d'ampleur. Plusieurs études parlent d'une légère augmentation depuis un certain nombre d'années, mais on ignore si cette hausse est due à une augmentation du nombre de dépressifs ou simplement au fait que les gens souffrant de dépression le déclarent de plus en plus fréquemment. Les auteurs de cette même étude prédisent qu'en 2020, la dépression deviendra la deuxième maladie en importance après les maladies cardiaques.

Ce que ressent la personne déprimée

La dépression se manifeste souvent à quatre niveaux. Il n'est pas rare que des personnes qui vous connaissent bien remarquent ces changements avant vous (les signes et les symptômes de la dépression sont traités au chapitre quatre).

Changements de l'humeur

Les changements de l'humeur constituent le symptôme le plus caractéristique de la dépression. Vous pourriez vous sentir triste, impuissant, désespéré et avoir des crises de larmes. Il est également fréquent de perdre l'estime de soi pendant cette période et plusieurs personnes dépressives se sentent coupables ou inutiles.

Cependant, toutes les personnes dépressives ne se sentent pas nécessairement abattues, car d'autres émotions peuvent être plus fortes. Vous pourriez vous sentir agité ou de plus en plus irritable et facilement contrarié ou blasé et vous désintéresser de tout. Des activités généralement agréables ne vous diront plus rien.

Changements cognitifs

La dépression peut altérer la mémoire et le processus de la pensée. Vous pourriez éprouver des problèmes de concentration et prendre une décision aussi simple que le choix des vêtements à porter et du repas à préparer vous semblera compliqué et prendra un temps fou, avec pour résultat que tout deviendra plus difficile à réaliser.

Changements d'ordre physique

La dépression peut altérer plusieurs aspects de votre fonctionnement physique et perturber vos habitudes de sommeil et d'alimentation. Vous pourriez vous éveiller vers 4 ou 5 heures du matin et ne plus vous rendormir ou vous sentir fatigué et passer presque toute la journée au lit. Vous pourriez vous suralimenter et prendre du poids ou encore perdre l'appétit et maigrir. Votre appétit sexuel pourrait diminuer ou même disparaître.

La dépression peut vous enlever toute énergie. Les personnes dépressives semblent souvent fatiguées, ralenties et épuisées. Le seul fait de se lever le matin et de préparer le petit déjeuner deviennent d'énormes efforts. La dépression s'accompagne aussi d'une panoplie de symptômes physiques vagues et douloureux : mal de tête, de dos, douleurs abdominales et autres sans raison médicale.

Changements comportementaux

La dépression peut modifier votre comportement de plusieurs manières. Si vous êtes habituellement bien mis, vous commencerez à négliger votre apparence. Si vous payez habituellement vos factures, vous pourriez les égarer. Vous éviterez la compagnie des autres et préférerez rester à la maison. Les conflits avec le conjoint et avec les membres de la famille pourraient devenir plus fréquents, et au travail vous ne serez plus capable de respecter les échéances.

Témoignages

Voici des témoignages de personnes ayant vécu une dépression.

« Dans les pires moments, ma dépression ressemble aux classiques nuages noirs, mais parler d'un étau noir serait plus juste. Je sens quelque chose de très oppressant me peser sur la tête. Au cours de ces périodes, je ne me souviens pas de ne pas avoir été déprimée. La dépression semble détruire mon passé et mon futur. J'ai aussi vécu des périodes de dépression plus légères, qui m'enlevaient mon énergie et mon entrain, sans toutefois me sentir aussi anéantie. »

Maude

« J'ai l'impression d'être enfermée dans une boîte de carton dont le couvercle est trop bas. Je dois dépenser une grande quantité d'énergie pour accomplir ce que je faisais habituellement sans effort. De plus, certains jours, la dépression se présente comme une mixture chimique. Je me sens normale, puis subitement, j'ai une baisse d'énergie et je deviens incapable de fonctionner, sans être capable d'identifier la cause de ce changement. »

Catherine

Une voix du passé

« Je suis l'homme le plus malheureux de la terre. Si ce que je ressens était distribué en parts égales à l'échelle mondiale, aucun humain ne sourirait. Je ne sais pas si mon état s'améliorera un jour, mais j'ai l'impression que non. Il m'est impossible de demeurer ainsi. Je devrai vraisemblablement mourir ou prendre du mieux. »

En 1841, Abraham Lincoln qui allait devenir le 16e président des États Unis, écrivait ces lignes à un de ses meilleurs amis.

« Je me sens à plat, prise d'un sentiment de détresse et souvent paniquée, traquée, désespérée. Parfois, je pleure et je me sens envahie d'une grande tristesse, et à d'autres moments, simplement inutile. Les sentiments d'inutilité sont fréquents. »

Anne

« Quand je suis déprimé, je me sens triste, hébété, coupable et incapable de bouger, tant au sens propre que figuré. Je suis habité par un sentiment de désespoir et je me sens également cynique, intérieurement vide et inutile. »

Jean-François

« La dépression a détruit plusieurs de mes relations amicales en me retirant l'énergie nécessaire pour entretenir de bonnes relations. Non seulement la dépression m'a-t-elle fait perdre des amis, mais elle a aussi perturbé mes relations amoureuses de la même manière. Je ne peux pas attribuer la responsabilité de toutes mes ruptures à la dépression, mais celle-ci y a contribué au moins à une ou deux reprises. »

Marika

« Dans mon cas, l'incapacité à se concentrer constitue définitivement un symptôme de dépression. J'ai de la difficulté à terminer mes projets

ou à mettre de l'avant un projet créatif. Je n'ai pas de problèmes au niveau de la perte d'appétit, car la dépression me porte à manger davantage. Il y a quelques années, au cours de l'hiver, je mangeais un litre de crème glacée chaque soir et j'ai pris 10 kilos. J'ai conservé cet excès de poids qui s'avère aussi difficile à éliminer qu'il est ardu de sortir de la dépression. »

Elizabeth

Maladie méconnue

Malgré le fait que la dépression soit fort répandue, environ le tiers des personnes atteintes ignorent qu'elles le sont, et parmi celles qui le savent, les deux tiers n'obtiennent pas le bon traitement. Voici quelques-unes des raisons pour lesquelles les traitements ne sont pas appropriés :

Difficultés d'identification des symptômes. Un certain pourcentage de gens ne reconnaissent pas les symptômes de leur dépression et la nécessité de recourir à un traitement. Plusieurs croient que leurs problèmes font partie de la vie courante, ce qui est vrai lorsque les principaux symptômes sont l'agitation, l'irritation, l'anxiété, ou une perte d'intérêt pour des activités courantes, plutôt qu'une humeur dépressive.

Les symptômes de la dépression ne sont pas toujours tous présents et se manifestent à différents niveaux d'intensité. Ainsi, votre principal symptôme peut s'avérer être la perte de sommeil sans qu'il y ait d'autres signes identifiables. De plus, votre médecin peut ne pas avoir un tableau complet de la situation si votre principale préoccupation est la fatigue. Malheureusement, les études démontrent que les médecins échouent souvent lorsqu'il est question de poser un diagnostic de dépression.

Gêne et confidentialité. Certaines personnes sont gênées de demander de l'aide, car elles craignent d'être stigmatisées par leur dépression. « Ma famille et mes amis vont-ils penser que je suis faible ou seront-ils incapables de comprendre ? » Les préoccupations quant à la confidentialité de l'employeur empêchent les gens de se faire traiter. « J'ai entendu mon superviseur dire qu'un collègue fait semblant d'être déprimé pour ne pas travailler. Pensera-t-il la même chose de moi ? »

Inquiétudes au sujet des assurances. Certaines personnes s'inquiètent quant à la possibilité d'obtenir ou de conserver une protection, au niveau des assurances, advenant un diagnostic de dépression. Certains régimes de soins médicaux ne couvrent pas les traitements pour la dépression. Heureusement, ces inquiétudes sont moins fondées qu'il y a quelques années, mais il y a toujours place à amélioration.

Effets de la maladie. Les sentiments de désespoir et d'inutilité occasionnés par la dépression compliquent les démarches nécessaires pour obtenir un traitement.

Importance du traitement

La dépression se soigne et les résultats sont souvent probants. Grâce à des traitements appropriés, environ huit personnes sur dix ressentent une amélioration et peuvent reprendre leurs activités normales.

Dès que vous soupçonnez ou identifiez des symptômes de dépression, il est essentiel d'entreprendre des démarches pour la traiter. Une dépression non traitée augmente les risques d'apparition d'autres maladies. Des études démontrent que même une dépression légère, associée à des problèmes de santé physique ou de dysfonctionnement social augmente les risques d'une future dépression ou de tentatives de suicide. Le traitement de la dépression comporte plusieurs avantages.

Meilleure qualité de vie

La plupart des personnes qui acceptent les traitements remarquent des changements importants à deux niveaux, soit dans leurs relations interpersonnelles et dans leur rendement au travail.

Relations interpersonnelles. Lorsque vous êtes déprimé, vous pouvez soit développer des conflits avec vos proches, soit les aggraver. La dépression peut perturber grandement votre ménage et vos amitiés. Vous pouvez dire des paroles et poser des gestes violents à l'égard de votre conjoint ou de vos amis et même dire que vous détestez votre vie et que vous êtes malheureux en ménage. Après le traitement, les patients se sentent souvent plus confiants et optimistes, et il devient alors possible de résoudre les problèmes avec le conjoint ou d'améliorer des relations difficiles avec d'autres personnes.

Votre dépression peut aussi avoir des conséquences sur vos enfants. En vous concentrant sur votre propre souffrance et sur votre maladie, vous devenez incapable de répondre aux besoins de vos enfants. Il est difficile pour une personne déprimée d'être active et vous pourriez cesser de jouer avec les enfants ou faire des activités que vous aimiez pratiquer ensemble.

Rendement au travail. La dépression perturbe votre concentration et votre mémoire, ce qui nuit à l'exécution des tâches quotidiennes au travail. Vous pourriez avoir de la difficulté à vous lever et arriver à l'heure le matin, au travail ou à l'école. Le traitement de la dépression peut diminuer la pression, sur le plan professionnel, en augmentant le niveau de concentration et en facilitant le sommeil, ce qui vous procure un surplus d'énergie le matin.

Abandon des drogues et de l'alcool

L'absence de traitement de la dépression peut mener à d'autres problèmes comme la toxicomanie. Des études démontrent que les gens qui souffrent de dépression grave risquent d'augmenter leur consommation de drogues. L'usage de drogues et d'alcool pour «noyer le chagrin» représente pour certaines personnes une forme d'autoguérison. La consommation de médicaments et de drogues pour soulager la dépression ne peut qu'engendrer un cercle vicieux, car l'absorption de ces substances ne fera qu'empirer la dépression.

Amélioration de l'état de santé

La dépression peut engendrer un large éventail de conséquences physiques. Elle peut aggraver des problèmes existants et augmenter les risques d'en développer de nouveaux. En traitant la dépression, non seulement vous vous sentirez mieux psychologiquement, mais vous vous sentirez également en meilleure santé.

Les problèmes associés à la dépression sont:

L'insomnie. Plusieurs personnes déprimées ont de la difficulté à dormir. Ils éprouvent des problèmes à s'endormir, se réveillent souvent au cours de la nuit et peuvent s'éveiller tôt et être incapables de se rendormir. Le traitement de la dépression peut améliorer la qualité du sommeil et procurer une sensation de repos au réveil.

Problèmes de poids et manque d'activité physique. Certaines personnes déprimées mangent davantage, ce qui entraîne une augmentation de poids. L'obésité augmente les risques de problèmes de santé, principalement les maladies cardiaques, l'hypertension artérielle et le diabète. D'autres personnes voient leur appétit diminuer, perdent du poids et deviennent dangereusement maigres.

Les personnes qui subissent des pertes d'énergie et de motivation à cause de la dépression, font peu d'exercice et sont en piètre condition physique. Même les gens qui étaient très actifs physiquement seront portés à cesser de s'entraîner. Le traitement de la dépression, particulièrement lorsqu'il est combiné à un régime d'alimentation saine et à de l'exercice physique, peut réduire les maladies associées aux problèmes de poids et de mauvais conditionnement physique.

Maladies cardiaques et accidents vasculaires cérébraux. Les personnes dépressives présentent des risques plus élevés de subir un infarctus, d'avoir une insuffisance cardiaque ou un accident vasculaire cérébral. Les hommes déprimés risquent davantage de mourir d'une maladie cardiaque.

Une vaste recherche menée par la *National Health and Nutrition Examination Survey* auprès de 5 007 femmes et de 2 886 hommes aux États-Unis, lesquels n'avaient pas de problèmes cardiaques au moment de l'entrevue, révèle que huit à dix ans plus tard, le groupe des hommes déprimés était 2,7 fois plus à risque de mourir d'une maladie cardiaque et 1,7 fois plus à risque de mourir de différentes causes que les hommes qui n'étaient pas déprimés. Chez les femmes, la dépression n'avait pas augmenté les risques de mourir d'une maladie cardiaque, mais les femmes dépressives étaient presque deux fois plus sujettes à développer des maladies cardiaques.

Dans le cadre d'une autre étude, un groupe de chercheurs du *Cardiovascular Health Study Collaborative Research Group* a fait le suivi de 4 493 personnes âgées de 65 ans et plus, initialement exemptes de problèmes cardiaques. Cette étude révèle qu'après 6 ans, les personnes qui ont signalé des symptômes de dépression plus fréquents présentaient 40 pour cent plus de risques de développer une maladie cardiaque que celles qui étaient moins souvent déprimées.

Une autre étude révèle que les gens déprimés présentaient quatre fois plus de risques d'avoir un malaise cardiaque au cours des 13 années suivantes que ceux qui ne l'étaient pas. Une dépression consécutive à une crise cardiaque augmente les risques de complications ou de décès.

Bien que d'autres recherches soient nécessaires afin de comprendre le lien entre la dépression et les maladies cardiaques, les spécialistes croient qu'il existe des raisons plausibles pour que ce lien entre le corps et l'esprit soit vraisemblable. Le point important, c'est que le traitement de la dépression diminue les risques de développer une maladie cardiaque, un accident vasculaire cérébral ou de mourir si vous avez fait une crise cardiaque récemment.

Hypertension artérielle. Selon une étude menée par les Centres de contrôle et de prévention des maladies, la dépression est un facteur de risque quant au développement de l'hypertension artérielle, laquelle représente la principale cause des maladies cardiaques et vasculaires cérébrales. Les personnes qui vivent une dépression profonde et de l'anxiété présentent des risques élevés de développer de l'hypertension artérielle. Même les gens qui subissent des dépressions de niveau intermédiaire présentent plus de risques de développer la maladie. Les gens de couleur sont particulièrement à risque.

Autres maladies. Certaines recherches suggèrent une relation complexe entre la dépression et des maladies comme le Parkinson, la maladie d'Alzheimer et l'ostéoporose (fragilité osseuse) chez les femmes. Il n'a pas été clairement établi que la dépression rend les personnes plus vulnérables à ces maladies ou s'il existe une relation de cause à effet. Les recherches sur le sujet en sont encore au stade préliminaire.

Diminution des risques de récidive

Lorsqu'elle n'est pas traitée, la dépression peut se prolonger ou empirer. Dans la plupart des cas, elle finira par disparaître, mais seulement après des mois et des années de détresse et d'altération de la santé.

La dépression peut également revenir et sous une forme encore plus grave. Les risques de récidive augmentent à chaque épisode. Si vous avez subi une dépression, les risques d'en développer une autre sont de 50 %. Après deux dépressions, les risques augmentent à 70 % et après une troisième, ils sont encore plus élevés. Les épisodes subséquents sont souvent plus longs, plus graves et plus difficiles à traiter. Plus la dépression est identifiée rapidement, qu'il s'agisse de la première ou d'un épisode subséquent, plus son traitement est facile.

Prévention du suicide

Un retard dans le diagnostic et le traitement de la dépression peut avoir des conséquences mortelles. Les gens qui vivent une dépression profonde qui n'est pas traitée ont un taux de suicide de 15 %, comparativement à 1 % pour l'ensemble de la population. La dépression non traitée est la première cause de suicide en Amérique du Nord. Le risque de suicide augmente à chaque épisode de dépression. De façon générale, le traitement permet d'éliminer les idées suicidaires.

Chapitre 2

Facteurs
de risque

Q uelle que soit la maladie, il est normal de s'interroger sur ses causes et de se demander si l'on présente des risques de la voir apparaître. Comme pour d'autres maladies de nature complexe, il n'existe pas de réponses simples pour expliquer ce qui cause la dépression. Celle-ci peut se développer pour diverses raisons, et c'est pourquoi elle est si répandue.

Les causes exactes de la dépression sont encore inconnues, mais les scientifiques ont identifié un certain nombre de facteurs de risque, soit des événements et des conditions qui augmentent les prédispositions à la dépression. Dans bon nombre de cas, la dépression est le résultat de plusieurs facteurs et non d'un seul.

Antécédents familiaux

Si un membre de votre famille souffre ou a souffert de dépression, cela ne veut pas dire que vous en serez atteint. Cependant, des antécédents familiaux de dépression semblent augmenter les risques. Plusieurs recherches ont été menées quant à l'incidence génétique de la dépression. Ces recherches démontrent que les proches d'une personne dépressive, soit les enfants, les frères et les sœurs sont plus exposés à la dépression que ne le sont des individus provenant d'une famille sans antécédents familiaux de dépression. Cette augmentation des risques peut provenir de facteurs génétiques ou environnementaux ou des deux.

Les recherches démontrent que les formes de dépression les plus graves ou précoces sont plus fréquentes chez les individus dont la famille a des antécédents au niveau de la dépression. Une dépression profonde dure pendant une longue période, refait surface à plusieurs reprises et entretient chez la personne dépressive des idées de mort ou de suicide.

Facteurs génétiques

Les facteurs génétiques jouent un rôle dans de nombreuses maladies. Il y a prédisposition face à une maladie lorsqu'un gène spécifique ne transmet pas la bonne information quant au fonctionnement de la cellule. Ceci rend la personne plus vulnérable à la maladie. Les gènes peuvent également influencer la gravité ou la progression d'une maladie.

Bien qu'il soit évident qu'une personne puisse présenter des risques plus élevés de développer une dépression pour des raisons héréditaires, l'augmentation des risques n'est pas due à la présence d'un seul gène défectueux, mais plutôt à l'interaction de plusieurs gènes. De plus, les facteurs génétiques ne suffisent probablement pas, à eux seuls, à déclencher la maladie et d'autres facteurs entrent en ligne de compte. Des recherches ont démontré la complémentarité de facteurs génétiques et non génétiques. Les études démontrent que :

- Des enfants adoptés, dont les parents biologiques ont des antécédents familiaux de dépression sont plus exposés que les enfants adoptés dont les parents n'ont jamais fait de dépression. Cette comparaison suggère une incidence génétique.
- Les jumeaux identiques, qui ont le même bagage génétique, ont plus de risques de développer une dépression que les jumeaux non identiques, lesquels ne partagent que quelques gènes identiques, ce qui laisse croire une fois de plus à un lien génétique.
- Chez les jumeaux identiques, lorsqu'un des deux devient dépressif, l'autre jumeau a 40 % de risques de faire une dépression lui aussi. Ceci indique que d'autres facteurs comme le stress ou la maladie sont également susceptibles de jouer un rôle dans le développement de la maladie. Si les facteurs génétiques étaient les seuls responsables de la dépression, l'incidence serait de 100 %.

Situations stressantes

Personne ne traverse la vie sans problèmes. Bien que les difficultés de la vie puissent contribuer à votre croissance spirituelle et personnelle, elles peuvent également vous conduire à votre perte. Le stress est au détour de toute la gamme des contrariétés quotidiennes comme les embouteillages et les problèmes financiers, ou des événements plus graves comme la rupture d'une relation significative et la mortalité au sein d'une famille. Mener une vie stressante ne conduit pas nécessairement à la dépression, mais peut contribuer à en augmenter les risques.

Mortalité et autres pertes

Une perte significative, même la peur de cette perte, est l'un des facteurs les plus courants susceptibles de déclencher une dépression. La majorité des gens continuent de fonctionner normalement malgré le chagrin et la tristesse, mais certaines personnes développent une dépression. La perte récente d'un être cher est très souvent associée à la dépression. Pour un jeune enfant, il est extrêmement difficile de composer avec la mort d'un parent. D'autres pertes, comme celle d'un emploi peuvent également conduire à la dépression. Les gens qui ont déjà fait une dépression deviennent plus vulnérables aux rechutes lorsqu'ils subissent une perte significative.

Problèmes relationnels.

Les difficultés entre conjoints ou dans des relations de nature intime peuvent aussi entraîner une dépression. Un divorce ou la fin d'une relation importante sont souvent des facteurs précurseurs de la dépression. Selon l'*Epidemiologic Catchment Area Study*, une enquête exhaustive menée sur 18 571 personnes dans 5 villes américaines, les personnes seules ou divorcées sont deux fois plus exposées à la maladie mentale que les personnes mariées. Les relations interpersonnelles n'éliminent pas le stress, mais peuvent servir de bouclier contre les coups durs de l'existence.

Événements marquants de la vie

Tout événement marquant ou changement majeur dans les conditions de vie peut augmenter vos risques de devenir déprimé, particulièrement si vous avez une tendance héréditaire à la dépression. Ces changements marquants peuvent prendre différents visages, tel que survivre à une catastrophe comme un accident de voiture ou traverser une étape importante comme la puberté ou la retraite. Votre philosophie de vie influence la façon dont vous composez avec ces changements. Certaines personnes peuvent considérer la retraite comme étant une période de deuil et une perte et sombrer dans la dépression, alors que d'autres perçoivent la retraite comme étant un changement positif.

Mettre le problème en perspective

Pourquoi certaines personnes sombrent-elles dans la dépression à cause des problèmes majeurs de l'existence et d'autres les traversent-ils sans coup férir ? Il existe de nombreuses raisons pour expliquer ce phénomène, mais la façon d'envisager les problèmes représente certainement un facteur important. Une attitude dynamique et axée sur la résolution de problèmes risque moins de faire plonger les gens vers la dépression qu'un comportement passif et émotif. Avoir un comportement positif et adapté aux problèmes signifie :

- compter sur un réseau de soutien familial et amical fiable ;
- tenter de voir l'aspect positif d'une situation ;
- utiliser des techniques de résolution de problèmes pour faire face à la situation ;
- discuter de vos problèmes et inquiétudes avec d'autres personnes et maintenir les relations d'amitié.

Stress au travail

Les situations présentées dans les dessins animés populaires confirment que le stress de la vie moderne est envahissant et exaspérant. Dans une étude récente menée par une compagnie d'assurance, près de la moitié des travailleurs Nord-Américains indiquent que leur travail est extrêmement stressant et près du quart affirment qu'il constitue la plus grande source de tension dans leur vie. Selon certaines études, les entreprises perdent annuellement une moyenne de 16 jours de travail par employé, à cause du stress, de l'anxiété et de la dépression.

Les mères au travail vivent en quelque sorte le stress du «deuxième emploi» en effectuant du temps supplémentaire sous forme de tâches domestiques et en prenant soin des enfants. Selon le *Center for Research on Women* du collège Wellesley, avoir des enfants procure un stimulant mental et émotionnel aux mères qui travaillent, mais augmente aussi leurs tâches et les tensions familiales, provoquant ainsi une augmentation des risques de dépression.

Expériences antérieures

Les gens qui ont survécu à des événements douloureux comme des abus subis pendant l'enfance, qui ont fait la guerre ou ont été témoins d'un crime grave, risquent davantage de sombrer dans la dépression que d'autres personnes. Surmonter un stress de cette importance peut déclencher de nombreuses réactions dans l'organisme et avoir des conséquences à long terme sur la santé physique et mentale.

Une étude menée sur environ 10 000 adultes a révélé que plus une personne vit d'expériences traumatisantes dans son enfance, plus les risques de développer une dépression sont élevés.

Plusieurs facteurs propres à l'environnement d'une famille dysfonctionnelle peuvent faire en sorte qu'un enfant ayant évolué dans un tel contexte développe une dépression à l'âge adulte.
Ces facteurs comprennent:

- relation conflictuelle grave entre les parents;

- violence familiale;

- abus (physique, psychologique ou sexuel);

- perte d'un parent suite à une séparation, un divorce ou un décès;

- maladie d'un parent.

Les scientifiques ont tenté d'expliquer la relation entre les traumatismes passés et la dépression. Ceci semble relié en partie à la façon dont l'organisme réagit face au danger et au stress. Lorsque confronté à un danger réel ou potentiel, l'organisme se prépare à affronter le danger (combat) ou déploie suffisamment d'énergie pour s'enfuir (fuite). Cette réaction de combat ou de fuite est causée par une libération d'hormones qui stimulent l'organisme. Ces modifications influencent l'activité cérébrale en augmentant la réaction au stress.

Les hormones ne représentent qu'un élément de l'équation. Votre habileté à gérer le stress en est la clé. Les enfants apprennent par l'exemple et si vous n'avez pas appris à composer avec le stress dans votre enfance, vous risquez de vivre davantage de stress qu'une personne possédant de meilleures habiletés à gérer le stress.

Enfants abusés
Toutes les formes d'abus subis durant l'enfance, qu'ils soient de nature physique, sexuelle ou émotionnelle, peuvent rendre une personne plus vulnérable à la dépression. Une étude menée auprès d'environ 2 000 femmes a révélé que celles qui ont été abusées pendant leur enfance, tant physiquement que sexuellement, sont plus susceptibles de développer des symptômes de dépression, d'anxiété et de commettre des tentatives de suicide que celles qui ne l'ont pas été. Les femmes qui

ont été abusées au cours de l'enfance sont quatre fois plus sujettes à connaître une dépression à l'âge adulte.

L'abus sexuel subi au cours de l'enfance est une expérience dévastatrice. On estime que de 6 à 15 % des femmes ont connu une forme d'abus sexuel au cours de leur enfance. L'abus sexuel chez les jeunes garçons est moins fréquent, mais non moins traumatisant. Plusieurs études démontrent une relation certaine entre l'abus sexuel subi au cours de l'enfance et la dépression à l'âge adulte.

Syndrome de stress post-traumatique

Syndrome de stress post-traumatique (autrefois appelé syndrome commotionnel ou épuisement au combat) est le nouveau terme utilisé couramment pour désigner la condition des personnes qui ont vécu des événements horribles. En plus du traumatisme de la guerre, des événements comme le viol, la torture, un grave accident d'automobile ou un désastre naturel peuvent déclencher un stress post-traumatique.

Les personnes souffrant de stress post-traumatique revivent des événements, ont des cauchemars, éprouvent une léthargie émotionnelle ponctuée d'emportements passagers, ont des pertes de plaisir, des réflexes de sursaut exagérés et des problèmes de mémoire et de concentration. Elles présentent un risque élevé quant au développement d'autres maladies mentales, y compris la dépression. Le syndrome post-traumatique et la dépression se manifestent souvent de façon simultanée.

Grandir auprès d'un alcoolique.

Des études comparant les enfants d'alcooliques parvenus à l'âge adulte et ceux dont les parents n'étaient pas alcooliques indiquent que ceux dont les parents étaient alcooliques sont plus sujets à manifester des symptômes d'anxiété et de dépression. Toutefois, certaines études ne dénotent pas de différences entre les deux groupes.

La relation entre la dépression des enfants et l'alcoolisme des parents présente une certaine complexité. Il est difficile de séparer les effets de l'alcoolisme parental d'autres facteurs sociaux et psychologiques comme des relations familiales dysfonctionnelles, des parents souffrant de dépression ou d'autres maladies mentales, des traumatismes, des abus ou de la négligence à l'égard des enfants.

Des études menées en milieu familial démontrent un pourcentage élevé de dépression parmi les proches des alcooliques. Ceci peut être le résultat d'une prédisposition élevée aux problèmes d'humeur au sein de ces familles ou un lien génétique entre l'alcoolisme parental et la dépression. De plus, le stress de vivre dans une famille où il y a des problèmes d'alcoolisme peut augmenter les risques de dépression pour des raisons qui n'ont rien à voir avec la génétique.

Toxicomanie

La dépendance à l'alcool ou aux drogues peut augmenter les risques de développer une dépression. On estime que 30 % à 60 % des gens qui ont un problème de toxicomanie, qu'il s'agisse de consommation d'alcool ou de drogues légales ou illégales, présentent également des troubles de l'humeur et des troubles anxieux. Environ 20 % des gens qui se droguent sont déprimés ou l'ont déjà été et environ 30 % des alcooliques répondent aux symptômes médicaux de la dépression. Lorsque la dépression et la dépendance chimique se manifestent simultanément, elles peuvent être indépendantes l'une de l'autre ou l'une des deux peut résulter de l'autre.

Plusieurs chercheurs ont étudié la possibilité que la dépression et l'alcoolisme soient héréditaires. Le *National Institute on Alcohol Abuse and Alcoholism* a analysé les données d'une enquête effectuée sur 42 862 sujets Nord-Américains de 18 ans et plus et conclu que des antécédents familiaux d'alcoolisme contribuent à augmenter les risques de dépression et d'alcoolisme d'un individu. Les hommes et les femmes qui ont un parent alcoolique sont plus prédisposés que les autres à développer une dépression. Les femmes qui vivent avec un parent alcoolique présentent un risque légèrement plus élevé de connaître une dépression que les hommes vivant dans des conditions similaires. Les chercheurs croient que les facteurs génétiques favorisant la dépression sont semblables, mais comportent certaines différences.

Médicaments sur ordonnance

L'usage à long terme de quelques médicaments sur ordonnance peut développer chez certaines personnes les symptômes de la dépression. Ces médicaments sont :

- corticostéroïdes comme la prednisone (Deltasone) ;
- interféron (Avonex, Rebetron), un anti-inflammatoire ;
- certains bronchodilatateurs utilisés contre l'asthme ou d'autres problèmes respiratoires, y compris la théophylline (Theo-Dur) ;

- stimulants, y compris certaines pilules pour maigrir, consommés sur une longue période ;
- somnifères et certains anxiolytiques (benzodiazépines) comme le diazépam (Valium) et la chlodiazepoxide (Librium), consommés à long terme ;
- isotrétinoine (Accutane), un médicament pour le traitement de l'acné ;
- certains antihypertenseurs et médicaments pour le cœur comme le propanolol (Inderal) ;
- contraceptifs oraux ;
- médicaments anticancéreux comme le tamoxifène (Nolvadex).

L'arrêt de certaines médications, particulièrement les corticostéroïdes, peut également mener à la dépression.

Maladies

Plusieurs maladies et problèmes médicaux peuvent directement ou indirectement provoquer des symptômes de dépression. Certaines maladies endocriniennes ont un lien direct avec le développement de la dépression. Toutefois, ce lien est moins évident dans le cas de certaines maladies comme l'arthrite, qui sont douloureuses et susceptibles d'influencer votre qualité de vie, de perturber votre humeur et votre conception de la vie et de mener à la dépression.

Maladies hormonales

Les problèmes thyroïdiens sont souvent associés à la dépression. La glande thyroïde produit et libère des hormones qui aident à régulariser la température corporelle, le rythme cardiaque et le métabolisme, y compris l'efficacité à brûler les calories. Lorsque la glande libère trop d'hormones (hyperthyroïdie), le métabolisme fonctionne trop rapidement et quand elle n'en libère pas suffisamment, (hypothyroïdie), le métabolisme est au ralenti.

L'hypothyroïdie peut causer la dépression. Plusieurs médecins mesurent le niveau des hormones thyroïdiennes avant de poser le diagnostic de la dépression. Si vous souffrez d'hypothyroïdie, le médecin vous prescrira des hormones thyroïdiennes pour corriger le problème. Ce traitement met généralement fin à cette forme de dépression.

Les maladies des glandes parathyroïdes et des glandes surrénales (Addison et Cushing) provoquent aussi un déséquilibre hormonal pouvant causer la dépression.

Maladies cardiaques

Si la dépression augmente les risques de développer une maladie cardiaque, l'inverse est également vrai. Environ 30 % des gens hospitalisés en raison d'une maladie des artères coronaires (obstruction des artères coronaires) vivent un certain degré de dépression.

De plus, jusqu'à cinquante pour cent des gens qui ont subi une crise cardiaque deviennent dépressifs.

Accidents vasculaires cérébraux

L'accident vasculaire cérébral se produit suite à la rupture d'un vaisseau sanguin au niveau du cerveau, ce qui diminue l'apport de sang au cerveau. Les personnes qui ont subi un AVC présentent des risques élevés de développer une dépression. La dépression est l'une des complications les plus fréquentes suite à un accident vasculaire cérébral, touchant environ 40 % des gens au cours des deux premières années suivant l'accident. La gravité des troubles physiques consécutifs à un AVC n'est pas proportionnelle au risque de développer une dépression. Les gens qui ont peu de séquelles courent les mêmes risques.

Il est difficile de différencier les signes et les symptômes de la dépression de ceux d'un AVC., lequel occasionne des problèmes de mémoire, de l'agitation et de la fatigue. Les risques de connaître un autre épisode de dépression suite à un accident vasculaire cérébral sont plus élevés chez les gens qui ont déjà vécu une dépression. La dépression augmente également les risques de décès suite à un AVC.

Cancer

Le cancer conduit fréquemment à la dépression. Une personne sur cinq atteinte de cancer connaît une dépression, et ce pourcentage est légèrement plus élevé chez les personnes dont le cancer est à un stade plus avancé. Chez les adultes hospitalisés pour un cancer, les risques de dépression sont de 23 % à 60 %, et ceux qui ont déjà subi une dépression sont plus sujets à une récidive quand ils sont atteints d'un cancer.

Pour différentes raisons, il arrive souvent que la dépression ne soit pas identifiée et traitée chez les personnes atteintes de cancer. La tristesse et le chagrin sont des réactions normales face au cancer et ces comportements ressemblent parfois à la dépression. D'autres signes et symptômes comme la fatigue et la perte de poids sont également communs à la dépression et au cancer. De plus, les professionnels de la santé et le grand public ont tendance à dire : « Moi aussi je serais déprimé si j'étais atteint d'un cancer », comme si cette évidence faisait en sorte que les médecins ainsi que la famille et les amis d'une personne atteinte d'un cancer devaient afficher une attitude fataliste et ne rien faire pour l'aider. Si quelqu'un saigne abondamment après s'être blessé avec une scie mécanique, on ne pense pas : « Moi aussi, je saignerais si je m'étais blessé avec une scie mécanique » et ne rien faire pour arrêter l'hémorragie. La réaction normale serait de porter secours à cette personne.

Il est prouvé que le traitement de la dépression améliore l'humeur, le fonctionnement du système immunitaire et la qualité de vie chez les personnes atteintes d'un cancer.

Maladie d'Alzheimer

La dépression est très répandue chez les personnes atteintes de la maladie d'Alzheimer, une détérioration progressive du cerveau entraînant des troubles de la mémoire et une perte du sens de l'orientation. Environ 40 % des personnes atteintes de la maladie d'Alzheimer ont des humeurs dépressives et environ 20 % développent une dépression. Chez une personne atteinte de la maladie d'Alzheimer, les symptômes comprennent l'irritabilité, l'agitation et l'expression de peurs et de colères profondes. Le traitement soulage la dépression, mais n'arrête pas la progression de la maladie d'Alzheimer.

Maladie de Parkinson

Comme pour la maladie d'Alzheimer, la dépression accompagne souvent la maladie de Parkinson, laquelle attaque le système nerveux et occasionne des tremblements, de la rigidité dans les mouvements et une instabilité posturale. Près de 40 % à 50 % des gens atteints de la maladie de Parkinson développent une dépression. La perte d'appétit et les troubles du sommeil sont plus prononcés chez les gens qui souffrent à la fois de dépression et de la maladie de Parkinson. Une importante étude menée à l'échelle internationale par la *Global Parkinson Disease Survey* s'est penchée sur les facteurs qui influencent la qualité de vie des personnes atteintes de cette maladie. L'étude a révélé que le facteur le plus important et le plus invalidant s'avérait la dépression plutôt que les limitations physiques ou les effets secondaires de la médication.

Les recherches ont aussi démontré que la dépression précède souvent, parfois même de dix années, le développement des maladies de Parkinson et d'Alzheimer. Les chercheurs croient que la dépression pourrait s'avérer un facteur de risque quant au développement de ces maladies, mais il ne s'agit pour l'instant que d'hypothèses.

Apnée obstructive du sommeil

L'apnée obstructive du sommeil se caractérise par un ronflement important et une respiration irrégulière durant le sommeil. La dépression accompagne souvent l'apnée obstructive du sommeil, mais elle peut être grandement soulagée au moyen d'un traitement approprié de ce trouble du sommeil.

Douleur chronique

La douleur chronique et la dépression vont souvent de pair. La douleur constante, ajoutée au stress quotidien, créent un gouffre émotionnel duquel il est difficile de sortir. Selon certaines études, environ la moitié des gens qui souffrent de douleurs chroniques vivent également une dépression variant de légère à grave.

Autres maladies

Les maladies suivantes peuvent également conduire à la dépression : maladies rénales, arthrite rhumatoïde, maladies pulmonaires chroniques, SIDA et virus de l'immunodéficience humaine (VIH), lésion ou tumeur cérébrale, lésions de la moelle épinière, diabète, sclérose en plaques, épilepsie et carences vitaminiques.

Aspect psychologique

Le verre est-il à moitié plein ou à moitié vide ? Votre façon de répondre à cette question peut influencer vos risques de dépression. Certains traits de personnalité peuvent vous rendre plus vulnérable à la dépression, à titre d'exemple si vous :

- avez une faible estime de vous-même ;
- êtes excessivement porté à l'autocritique ;
- êtes habituellement pessimiste ;
- êtes facilement accablé par le stress.

Optimistes et pessimistes

Au cours des 25 dernières années, des études ont démontré que les pessimistes sont plus sujets à la dépression que les optimistes. Les pessimistes ont une santé plus fragile, utilisent plus fréquemment le système des soins de santé et sont susceptibles de décéder plus tôt que les optimistes. Une étude provenant de la clinique Mayo, publiée en février 2000, indique que les gens ayant une attitude optimiste vivent habituellement plus longtemps et en meilleure santé que les pessimistes. Les chercheurs de la clinique Mayo ont mené une étude sur un groupe de personnes à qui ils ont fait passer un test de personnalité, trente ans auparavant, et ont comparé les données de chacune de ces personnes à cette époque avec leur situation et leur état de santé actuels. Ils ont conclu que le taux de survie des optimistes était plus élevé et que les pessimistes présentaient des risques plus élevés de décès prématuré.

Les pessimistes ont tendance à interpréter les événements malheureux différemment des optimistes, à se culpabiliser et à percevoir ces situations comme étant de nature permanente et envahissante : « Ce problème va durer indéfiniment et tout gâcher ». En revanche, les optimistes perçoivent souvent les événements désagréables comme étant particuliers, temporaires et contrôlables.

Impuissance acquise

Lorsque des gens vivent des situations difficiles comme une relation de violence, ils peuvent finir par croire que leurs efforts pour la contrôler, la changer, la prévoir et l'éviter ne fonctionneront pas, quoiqu'ils fassent, ce qui les rend impuissants. Ce comportement d'«impuissance acquise» peut se répercuter sur d'autres aspects de la vie comme le travail, la famille, les amitiés et les problèmes de santé. Les experts croient que l'impuissance acquise rend un individu plus vulnérable à la dépression.

Autres maladies mentales

Certaines maladies mentales et la dépression vont souvent de pair, c'est ce que les médecins appellent la comorbidité.

Anxiété

Toute personne est susceptible de faire preuve d'anxiété à un moment ou à un autre, mais l'inquiétude peut devenir envahissante et nuire à la capacité de ressentir la joie de vivre et de profiter pleinement de la vie. Une anxiété persistante ou exagérée est symptômatique d'un trouble anxieux. Tout comme pour la dépression, les problèmes d'anxiété sont fréquents et touchent environ 17 % de la population.

La dépression accompagne souvent l'anxiété. Jusqu'à 60 % des gens qui éprouvent des troubles anxieux sombrent dans la dépression. Il existe différents niveaux d'anxiété :

Anxiété grave. Les gens qui en souffrent vivent une angoisse excessive et une inquiétude qu'ils peuvent difficilement contrôler. Leurs inquiétudes s'accompagnent parfois de la crainte qu'un événement désagréable se produise. Ils peuvent aussi présenter des symptômes comme de l'agitation, de la fatigue, de la difficulté à se concentrer et de l'irritabilité.

Anxiété en société. Les gens atteints d'anxiété ou de phobie en société éprouvent une crainte immodérée à l'idée de vivre des situations comme la rencontre d'étrangers, parler au téléphone ou se rendre à des soirées organisées entre amis. Ils craignent également des situations particulières comme avoir à prendre la parole en public ou se sentir surveillés en mangeant. Environ une personne phobique sur trois souffre également de dépression.

Panique. Les caractéristiques principales du trouble panique sont la crise de panique et la crainte d'avoir une crise. Durant une crise de panique, vous ressentez une terreur subite et inexplicable. Les signes et les symptômes susceptibles d'accompagner cette crise sont l'accélération du rythme cardiaque, la transpiration, des tremblements, des difficultés respiratoires, des douleurs thoraciques, des nausées, des étourdissements et des picotements. Vous avez l'impression d'être en train de «devenir fou» ou que vous allez mourir.

Plus du tiers des Nord-Américains disent avoir eu une crise de panique à un moment ou un autre de leur vie. Les gens qui souffrent de panique font des crises à répétition. La dépression touche près de la moitié des personnes souffrant de panique.

Comportement obsessionnel-compulsif. À un moment ou un autre de leur vie, la majorité des gens ont des pensées obsessionnelles et des comportements compulsifs. Les pensées obsessionnelles sont importunes et récurrentes. Les compulsions ressemblent à des rituels comme surveiller si la porte est bien verrouillée ou si la cafetière est bien fermée. Les pensées obsessionnelles et les comportements compulsifs perturbent l'existence des personnes obsessionnelles-compulsives au point où elles ne peuvent plus fonctionner normalement.

Le *National Institute of Mental Health* estime que plus de 2 % de l'ensemble de la population nord-américaine en est atteint, ce qui représente entre 4 et 6 millions de personnes.

Troubles alimentaires

La dépression est fréquente chez les gens qui souffrent de troubles alimentaires. Ces personnes présentent peut être une prédisposition génétique à ce problème ou à la dépression ou même aux deux. La dépression peut être en partie responsable d'un trouble alimentaire ou s'avérer la conséquence des maladies suivantes :

Anorexie nerveuse. Les anorexiques éprouvent une grande crainte face à l'obésité et cherchent à perdre du poids, au point où il leur arrive de souffrir de malnutrition. L'insuffisance alimentaire prive l'organisme d'énergie et de nutriments essentiels, ce qui peut conduire à la dépression.

Boulimie nerveuse. Comme pour l'anorexie, la boulimie implique des problèmes d'image corporelle et la peur de l'obésité. Les gens qui souffrent de boulimie mangent comme des goinfres et vomissent ou font de l'exercice de façon exagérée pour camoufler leurs excès alimentaires. Ils éprouvent un sentiment de honte ou de répugnance vis-à-vis d'eux-mêmes, ce qui peut entraîner une dépression.

Excès alimentaires. Les personnes qui souffrent de ce problème perdent le contrôle sur leur consommation alimentaire lorsqu'elles sont dans un état dépressif. Ceci nuit à leur estime personnelle, aggrave leur humeur et entraîne souvent un nouvel épisode de dérèglement alimentaire.

Dysmorphophobie (peur de la dysmorphie corporelle)

Les personnes qui souffrent de dysmorphophobie sont préoccupées par leurs défauts physiques réels ou imaginaires. Elles se regardent souvent dans le miroir, se maquillent pour cacher leurs «défauts» ou ont recours à de nombreuses chirurgies esthétiques.

Ces personnes ont peu d'estime d'elles-mêmes et se sentent honteuses, gênées et indignes. La dépression touche les trois quarts des personnes souffrant de dysmorphophobie.

Troubles de la personnalité limite

Les gens qui ont des troubles de la personnalité limite ont généralement des relations affectives instables, décevantes, éprouvent une grande crainte à l'idée d'être abandonnés et vivent des périodes de colère et des sentiments de vide. Ils adoptent des comportements à risque comme se livrer à des jeux de hasard, dépenser de l'argent de façon irrationnelle, consommer de l'alcool de façon exagérée et faire des tentatives de suicide.

Ce trouble de la personnalité touche particulièrement les femmes. La dépression et l'anxiété sont souvent associés à cette maladie et les gens qui en souffrent ont souvent des antécédents familiaux de dépression. Ces troubles de la personnalité causent souvent de sérieux problèmes sur les plans personnel et professionnel et peuvent conduire à la dépression.

Chapitre 3

Physiologie de la dépression

L es nombreux facteurs de risque susceptibles de causer la dépression, décrits au chapitre 2, démontrent que la dépression peut se développer pour diverses raisons. Il peut sembler difficile d'imaginer que ces facteurs aient quelque lien entre eux. Cependant, de plus en plus d'indices suggèrent qu'ils sont responsables, directement ou indirectement, de provoquer des changements dans le fonctionnement cérébral.

Au cours des dernières décennies, les scientifiques ont établi un lien direct entre les changements dans le fonctionnement cérébral et la dépression. Les chercheurs ne sont toutefois pas en mesure de déterminer avec exactitude ce qui se produit au niveau cérébral pour causer la dépression et si le processus est toujours le même, car les causes pourraient s'avérer différentes selon les individus.

Si autant de questions demeurent sans réponse, c'est en partie à cause de l'incroyable complexité du cerveau et de la difficulté à l'étudier. Des recherches intensives permettront sans doute d'obtenir plus d'information sur la question d'ici quelques années. Entre-temps, nous vous présentons quelques-unes des découvertes importantes qui ont aidé les chercheurs et les médecins à mieux comprendre la physiologie de la dépression.

Études sur la famille, l'adoption et les jumeaux

Les scientifiques croient que certaines personnes sont vulnérables à la dépression comme d'autres le sont au cancer ou à une maladie du cœur. Cela ne veut pas dire que si l'un de vos parents est atteint de dépression ou en a souffert, la même chose vous arrivera, mais il est possible que vos parents vous aient transmis un ou plusieurs gênes susceptibles d'augmenter le risque de développer la dépression.

Familles

De nombreuses études ont été menées sur la dépression au sein des familles. Celles-ci ont révélé que les risques de développer une dépression sont plus élevés chez les membres de la famille d'une personne atteinte de dépression ou qui en a souffert dans le passé. Les antécédents familiaux démontrent que la dépression est fréquemment transmise d'une génération à l'autre.

Enfants adoptés

Les chercheurs ont effectué des études sur des hommes et des femmes qui ont été adoptés au cours de leur enfance et ont découvert que les enfants adoptés dont les parents biologiques avaient souffert de dépression sont plus susceptibles de développer une dépression que ceux dont les parents biologiques n'ont jamais vécu de dépression. Ces recherches viennent réfuter la croyance voulant qu'un enfant apprenne à être déprimé d'un parent déprimé.

Jumeaux identiques

Les recherches menées sur des jumeaux présentent les preuves les plus évidentes à l'effet que la dépression a une composante génétique. Elles ont révélé que lorsqu'un des jumeaux est victime d'une dépression, le jumeau identique est plus porté à en faire une qu'un jumeau non identique. Ce phénomène est attribuable au fait que les jumeaux identiques ont un bagage génétique similaire, alors que les jumeaux non identiques ne partagent qu'un certain nombre de gènes.

La recherche se poursuit

À ce jour, les scientifiques n'ont pas été en mesure d'identifier des gènes spécifiques contribuant à augmenter les risques de dépression chez un individu, mais la recherche se poursuit. Il serait étonnant qu'un seul gène soit à l'origine de la dépression chez l'ensemble des malades. La présence de plusieurs gènes est beaucoup plus probable. L'identification des gènes associés à la dépression ne signifie pas nécessairement que les médecins seront en mesure de prévenir la maladie, mais cette information pourrait conduire à un meilleur diagnostic et à un traitement plus approprié.

Lorsqu'un jumeau identique vit une dépression, cela ne veut pas dire que l'autre est destiné à subir le même sort. Tel qu'énoncé au chapitre 2, chez les jumeaux identiques vivant une dépression, les deux jumeaux sont déprimés dans 40 % des cas seulement, ce qui suggère que le rôle des gènes, bien qu'important, n'est que partiellement responsable de cette maladie. Hormis les facteurs génétiques, l'environnement joue un rôle clé dans le développement de la dépression. Voilà pourquoi la dépression peut toucher des individus dont la famille n'a pas d'antécédents de dépression.

Études sur les hormones

Des études menées sur des personnes déprimées révèlent la présence d'un niveau anormal d'hormones dans le sang chez un certain nombre d'entre elles. Les chercheurs croient qu'une augmentation ou une diminution au niveau de la production d'hormones spécifiques peut exercer une influence sur la chimie naturelle du cerveau et conduire à la dépression.

Si on fait exception des hormones thyroïdiennes, les taux des autres hormones ne sont généralement pas mesurés pendant le diagnostic ou le traitement de la dépression. Toutefois, dans certaines circonstances, votre médecin peut décider de vérifier les taux de certaines hormones.

Hormones thyroïdiennes

Lorsque votre glande thyroïde ne fonctionne pas correctement, il peut en résulter l'un des deux problèmes suivants :

- la production d'une trop grande quantité d'hormones thyroïdiennes (hyperthyroïdie) ;
- la production d'une quantité insuffisante d'hormones thyroïdiennes (hypothyroïdie).

Ces deux états peuvent conduire à la dépression, mais celle-ci survient plus fréquemment en présence d'hypothyroïdie.

Hormones surrénaliennes

Vos glandes surrénales sont situées à proximité des reins et produisent plusieurs hormones qui jouent un rôle clé dans des activités corporelles comme le métabolisme, la fonction immunitaire et la réaction au stress. Des études révèlent que certaines personnes atteintes de dépression pourraient avoir une trop grande quantité d'hydrocortisone dans le sang. Une quantité excessive d'hydrocortisone peut nuire directement à la fonction cérébrale ou altérer l'équilibre naturel des transmetteurs chimiques (neurotransmetteurs) du cerveau.

La dépression est également un symptôme courant du syndrome de Cushing, lequel est causé par une surproduction d'hormones surrénaliennes. Il arrive fréquemment que la dépression soit un effet secondaire du traitement à la prednisone. La prednisone est un médicament similaire à l'hydrocortisone et est utilisée pour soigner les maladies inflammatoires, y compris le lupus érythémateux systémique, la polyarthrite rhumatoïde et l'asthme. Lorsque le traitement du syndrôme de Cushing est terminé et que les niveaux d'hydrocortisone reviennent à la normale ou lorsque la posologie est réduite ou arrêtée, les symptômes de la dépression diminuent ou disparaissent.

Hormones du stress

Une région du cerveau nommée hypothalamus régularise la sécrétion hormonale. Elle produit et libère des protéines de petite taille (peptides) qui agissent sur la glande pituitaire, située à la base du cerveau. Ces peptides stimulent ou bloquent la libération de diverses hormones dans la circulation sanguine. Lorsque le cerveau évalue la présence d'un danger potentiel, il alerte ce qu'on appelle l'axe hypothalamo-hypophyso-surrénalien, soit l'hypothalamus, la glande pituitaire et les glandes surrénales. Ils forment le système hormonal qui régularise la réaction de votre corps au stress. L'axe hypothalamo-hypophyso-surrénalien produit différentes hormones, dont l'hydrocortisone, afin d'aider à combattre le danger ou le fuir.

Plusieurs études indiquent que les gens souffrant de dépression ont une plus grande activité de l'axe hypothalamo-hypophyso-surrénalien. Cette situation peut poser un problème en ce sens que certaines régions du cerveau sont sensibles à l'activité des hormones du stress. Un trop grand nombre d'hormones peut nuire à votre mémoire et à votre capacité de fonctionner. On croit que l'augmentation d'hydrocortisone et d'autres hormones pendant des périodes de stress, particulièrement de stress chronique ou un épisode de stress grave peut perturber la chimie naturelle du cerveau, augmentant ainsi le risque de dépression.

Hormones sexuelles

Les hormones sexuelles femelles (œstrogène) et mâles (testostérone) exercent une influence sur tout votre organisme, à partir de l'appétit sexuel jusqu'à la mémoire. Elles conditionnent la façon dont vous vous sentez, pensez et vous comportez. Les hormones sexuelles semblent assurer une protection contre diverses maladies, y compris la dépression. Bien que les liens entre les hormones sexuelles et la dépression ne soient pas encore bien compris, pour certaines personnes les problèmes semblent commencer lorsque les niveaux des hormones sexuelles baissent.

Oestrogène. Les femmes présentent un risque de dépression plus élevé que les hommes et l'œstrogène peut être une des raisons. On croit que l'œstrogène peut modifier l'activité des neurotransmetteurs qui contribuent à la dépression. Plusieurs femmes connaissent des changements d'humeur durant la phase prémenstruelle. Quelques-unes souffrent de dépression postnatale suite à un accouchement, alors que d'autres subissent des dépressions pendant leur ménopause. Ce sont là des périodes pendant lesquelles les niveaux d'œstrogène ont tendance à décroître.

Testostérone. Lorsqu'ils parviennent à un âge moyen, les hommes présentent des risques plus élevés de développer une dépression. La diminution du taux d'hormones mâles peut s'avérer un facteur déterminant. Chez l'homme, les niveaux de testostérone sont à leur niveau maximal à l'âge de vingt ans, puis diminuent lentement. La diminution devient plus importante après l'âge de 50 ans. Il existe peu d'information concernant la relation entre la testostérone et la dépression. Au mieux, les chercheurs suggèrent l'existence d'un lien entre les niveaux de testostérone et la dépression chez certains hommes. L'importance de ce lien reste toutefois à établir.

Études sur l'imagerie du cerveau

La technologie de l'imagerie du cerveau a permis aux chercheurs d'aller au-delà de la spéculation et de voir ce qui se passe réellement à l'intérieur du cerveau durant les épisodes de dépression. Les méthodes technologiques avancées, particulièrement la caméra à positrons, permettent aux chercheurs de comparer l'activité cérébrale durant les périodes de dépression et durant les périodes sans dépression (voir page 13 de la section des illustrations). Cette comparaison s'effectue de diverses façons, y compris par la mesure de l'utilisation de l'oxygène et du glucose. Plus une région du cerveau est active, plus ses tissus ont besoin d'oxygène et de glucose.

Des études comparant des personnes déprimées et d'autres non déprimées révèlent que l'activité cérébrale est moins grande dans certaines régions du cerveau chez les gens déprimés. Cela suppose que la dépression est associée à des changements dans le fonctionnement de certaines cellules.

Grandir dans un environnement enrichissant stimule le développement cérébral

À la naissance, le cerveau compte des trillions de cellules nerveuses (neurones), qui n'attendent qu'à être stimulées et utilisées. Lorsqu'elles sont utilisées, elles entrent en contact avec d'autres neurones et s'intègrent à vos circuits cérébraux. Les cellules non utilisées sont perdues.

Les diverses régions du cerveau atteignent leur maturité à des périodes différentes. À l'adolescence, le circuit émotionnel a atteint sa maturité, ce qui veut dire que l'apprentissage d'un enfant, de la naissance jusqu'à l'adolescence, revêt une importance cruciale. Selon certaines études, grandir dans un environnement enrichissant, rempli d'interactions sociales positives et d'occasions d'apprendre, conduit généralement à de meilleures structures et fonctions cérébrales. De plus, on croit qu'il en résulte une plus grande capacité à composer avec le stress et les émotions.

Les enfants qui ont subi des abus ou ont été victimes de négligence présentent des risques plus élevés de développer une dépression à l'âge adulte. Le stress et des menaces constantes peuvent nuire au développement de leurs circuits émotionnels. Lorsqu'un enfant est souvent en état d'alerte causé par des facteurs de stress, lorsqu'un nombre de circuits plus élevés que la normale sont à l'affût d'un danger imminent, certaines régions du cerveau peuvent se développer de façon différente. Cette situation peut rendre un enfant plus vulnérable au stress et à la dépression, et ce, même à l'âge adulte.

Heureusement, les effets d'un stress important ou persistant à un très bas âge sont réversibles. Des études indiquent que les enfants ayant vécu des traumatismes dans leur tendre enfance peuvent se développer sainement s'ils se retrouvent ensuite dans un milieu enrichissant et qu'ils sont bien traités. Les enfants apprennent à composer avec le stress en imitant les comportements des adultes. Si l'un des parents réagit sainement face au stress, l'enfant sera porté à adopter un comportement semblable.

En se basant sur des études portant sur l'imagerie du cerveau, des chercheurs ont également pu assister à l'incroyable capacité d'adaptation du cerveau, et ce, même à l'âge adulte. Ainsi, des images comparant l'activité et le fonctionnement du cerveau avant et après différents types de traitements indiquent des changements notables. Donc, avec l'aide d'un traitement approprié, le cerveau d'une personne déprimée peut être modifié et fonctionner de façon plus adéquate.

Études sur les médicaments

C'est souvent de façon fortuite que les chercheurs en apprennent le plus sur les maladies. Un autre élément important de la biologie de la dépression a été découvert grâce à un médicament nommé réserpine et mis au point afin de traiter les problèmes d'hypertension artérielle. Bon nombre de personnes qui ont pris de la réserpine sont devenus déprimés. Afin de mieux comprendre pourquoi la réserpine causait la dépression et le fonctionnement de la chimie du cerveau pendant la dépression, des scientifiques ont étudié les résultats de ce médicament sur l'activité cérébrale. Leurs découvertes et les résultats d'études menées sur d'autres médicaments ont révélé un lien entre la dépression et les substances chimiques cérébrales appelées neurotransmetteurs.

Neurotransmetteurs du cerveau

Imaginez que votre cerveau est comme un vaste réseau informatique. Tous ses secteurs sont interreliés par un système complexe de lignes de transmission. Ces lignes de transmission sont en réalité des faisceaux de nerfs. Les extrémités de ces faisceaux contiennent des neurotransmetteurs qui servent de messagers de données entre les cellules nerveuses (neurones).

Les cellules nerveuses libèrent des neurotransmetteurs dans un petit espace de contact (synapse) situé entre une cellule nerveuse transmettrice et une cellule nerveuse réceptrice. Le neurotransmetteur se lie à un récepteur de la cellule nerveuse réceptrice. Durant le transfert d'information, des signaux électriques provenant de la cellule nerveuse transmettrice sont transformés en signaux chimiques communiquant le message à la cellule nerveuse réceptrice. Lorsque le transfert est complet, la cellule nerveuse réceptrice reconvertit les signaux chimiques en signaux électriques (voir illustration en page 15 de la section des illustrations). La communication entre les cellules s'opère très rapidement pour que votre cerveau puisse réagir immédiatement au message.

Neurotransmetteurs et dépression

Lors des premières années où des recherches ont été menées sur la dépression, les scientifiques croyaient que la norépinéphrine était le principal neurotransmetteur impliqué dans la dépression. Elle joue un rôle clé dans vos réactions émotionnelles et est située dans des régions où l'activité du cerveau diminue pendant les périodes dépressives. Les scientifiques en sont venus à la conclusion que la dépression était le

résultat de niveaux réduits de norépinéphrine et les entreprises pharmaceutiques se sont mises au travail afin de développer des médicaments antidépresseurs agissant principalement pour augmenter l'activité
de la norépinéphrine dans les cellules du cerveau.

Le régulateur d'humeur de votre cerveau

Votre humeur et vos émotions sont conditionnées par une partie de votre cerveau appelée système limbique. Le système limbique est composé de plusieurs structures interconnectées qui traitent et réagissent à des messages
provenant de vos sens et de vos pensées.

L'hypothalamus, qui régularise la production de plusieurs hormones à
l'intérieur du courant sanguin, est une région du cerveau, interconnectée de
façon complexe au système limbique. Ces hormones exercent une influence
sur plusieurs aspects de votre vie, y compris le sommeil, l'appétit, le désir
sexuel et votre réaction au stress. Voilà une des raisons pour lesquelles les
gens dépressifs ne dorment pas bien ou ont peu d'appétit. Il s'agit d'un lien
biologique.

Au cours des années 1980, un nouveau groupe de médicaments
antidépresseurs appelés inhibiteurs spécifiques de la recapture de la
sérotonine a été mis sur le marché. Ces médicaments agissaient principalement sur la sérotonine. Tout comme la norépinéphrine , la sérotonine est un régulateur d'humeur situé dans des régions du cerveau
touchées par la dépression.

Les taux de norépinéphrine et de sérotonine et l'équilibre entre ces
deux régulateurs influent sur la façon dont vous réagissez face aux
événements quotidiens, comme vous sentir heureux lorsque vous voyez
quelqu'un que vous aimez ou pleurer lorsque vous regardez un film
triste.

Normalement, votre cerveau s'ajuste de façon à ce que vos émotions s'adaptent à la situation. Toutefois, lorsque vous êtes en dépression, le taux de norépinéphrine ou de sérotonine ou même les deux
peuvent être inadéquats. Ils peuvent aussi rester bloqués dans le mode
tristesse et vous serez donc triste en permanence, même dans des situations que vous trouviez normalement agréables.

Anatomie et physiologie

Pendant une dépression, l'activité cérébrale connaît des changements. Plusieurs facteurs sont responsables de ces changements. Les altérations au niveau de l'activité cérébrale peuvent être reliées aux gènes dont vous avez hérité de vos parents. Elles peuvent également être la conséquence de troubles médicaux, y compris de maladies susceptibles d'affecter les fonctions hormonales, comme des maladies des glandes thyroïde et surrénales ou de changements dans la production des hormones sexuelles. Le stress, particulièrement s'il est grave ou persistant, peut également provoquer des changements au niveau de l'activité cérébrale et occasionner une dépression. En plus de la glande surrénale, le système de réaction au stress de votre organisme comprend des régions du cerveau appelées hypothalamus et glande pituitaire.

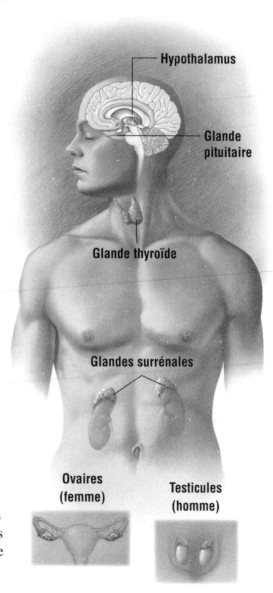

Hypothalamus

Glande pituitaire

Glande thyroïde

Glandes surrénales

Ovaires (femme)

Testicules (homme)

Imagerie du cerveau

Coupe axiale

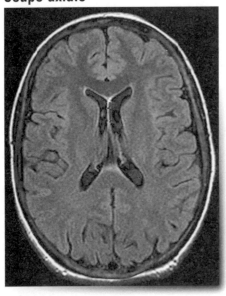

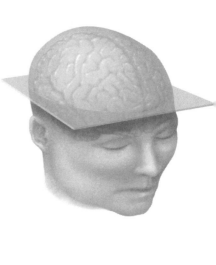

Coupe sagittale

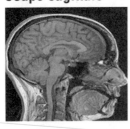

Coupe frontale

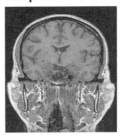
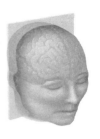

L'évolution dans la technologie d'imagerie du cerveau a permis aux chercheurs et aux médecins d'améliorer leur compréhension de la physiologie de la dépression. Les deux principaux types de systèmes d'imagerie du cerveau sont ceux qui montrent la structure et l'anatomie du cerveau, tel qu'illustré sur cette page et ceux qui indiquent l'intensité de l'activité cérébrale, tel qu'illustré en page suivante.

Images de dépression

Non déprimé

Déprimé

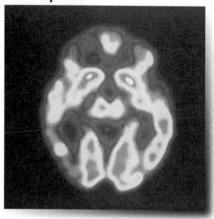
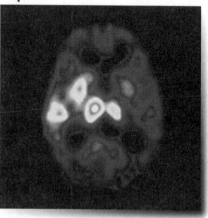

Voici un exemple des différences au niveau de l'activité cérébrale entre une personne qui n'est pas déprimée et une autre qui vit une dépression. L'ombrage jaune et orange indique les régions du cerveau les plus actives. En période de dépression, l'activité cérébrale est réduite.

Phase dépressive **Phase maniaque** **Phase dépressive**

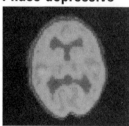
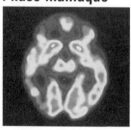
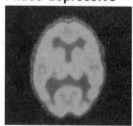

Voici un exemple d'un individu souffrant de trouble bipolaire qui vit des changements rapides de l'humeur, passant de la dépression à la manie, puis revenant à la dépression. Comme vous pouvez voir, l'activité cérébrale augmente de façon spectaculaire durant la phase maniaque, puis décroît pendant la phase dépressive.

Neurotransmetteurs à l'oeuvre : De la macro à la micro

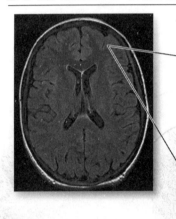

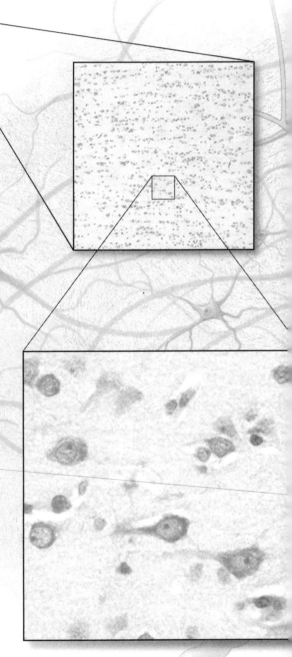

Dans la photo microscopique de droite, on aperçoit, grossies au microscope, les cellules nerveuses de la région indiquée sur l'image par résonance magnétique apparaissant plus haut.

Voici la même section de cellules nerveuses grossies davantage. Ces cellules communiquent entre elles par l'intermédiaire de médiateurs chimiques appelés neurotransmetteurs.

Neurotransmetteurs en action : Communication entre les cellules cérébrales

Cellule nerveuse transmettrice

Cellule nerveuse réceptrice

E Enzyme

Cellule nerveuse transmettrice

D

Neurotransmetteurs

A

C

Synapse

B

Cellule nerveuse réceptrice

Récepteur

Récepteur couplé avec un neurotransmetteur

Les cellules du cerveau communiquent en échangeant des messages chimiques. Lorsqu'une cellule nerveuse transmettrice communique avec une cellule nerveuse réceptrice, il se produit les étapes suivantes : (A) les vésicules contenant les messagers chimiques (neurotransmetteurs) sont libérées dans un petit espace de contact (synapse) situé entre les deux cellules. (B) Le neurotransmetteur d'une synapse est attiré et se lie avec un récepteur sur la cellule nerveuse réceptrice. Ceci modifie l'activité de la cellule nerveuse réceptrice. (C) Lorsque la communication est terminée, le neurotransmetteur est relâché dans la synapse. (D) Le neurotransmetteur demeure dans la synapse jusqu'à ce qu'il soit retourné à l'intérieur de la cellule nerveuse transmettrice, un processus connu sous le nom de la recapture. (E) Le neurotransmetteur est réemmagasiné à l'intérieur de la cellule pour usage ultérieur ou pour être détruit par des enzymes (monoamine oxydase).

Neurotransmetteurs et dépression

Les personnes déprimées sont susceptibles d'avoir une quantité moindre de certains neurotransmetteurs dans le point de contact (synapse) situé entre les cellules nerveuses.

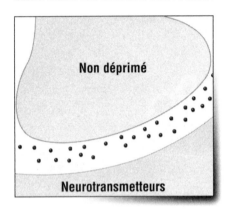

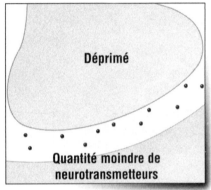

Fonctionnement des antidépresseurs

Les antidépresseurs agissent de diverses manières pour traiter la dépression. Le résultat commun de ces différentes approches se traduit par une augmentation du niveau ou de l'activité de certains neurotransmetteurs dans la synapse. Ceci fait en sorte que les cellules nerveuses réceptrices reçoivent davantage de messages comme chez les gens qui ne souffrent pas de dépression.

Inhibiteurs de la recapture des neurotransmetteurs

Certains antidépresseurs agissent en tant qu'inhibiteurs de la recapture. Ils perturbent l'étape D, rendant plus difficile le retour des neurotransmetteurs à l'intérieur de la cellule nerveuse transmettrice. Les neurotransmetteurs s'accumulent dans la synapse où ils peuvent continuer de se lier sans interruption avec des cellules nerveuses réceptrices.

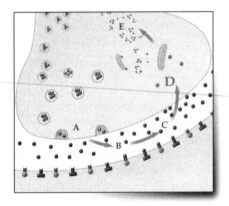

Neurotransmetteurs et dépression

Bloqueurs des récepteurs

Certains antidépresseurs agissent comme bloqueurs des récepteurs. Les bloqueurs des récepteurs fonctionnent de diverses façons, notamment en perturbant l'étape B et en empêchant les neurotransmetteurs de se lier avec certains récepteurs. La cellule nerveuse réceptrice reçoit moins de messages des récepteurs bloqués, ce qui se traduit par un changement dans l'équilibre des messages transmis par d'autres récepteurs qui ne sont pas bloqués.

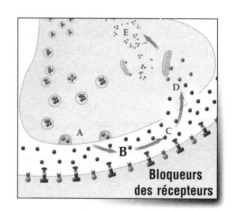

Inhibiteurs d'enzymes

Certains antidépresseurs agissent comme inhibiteurs d'enzymes et perturbent l'étape E. Comme ils ne peuvent être détruits par les enzymes « monoamine-oxidase », les neurotransmetteurs s'accumulent à l'intérieur de la cellule. Toutefois, la cellule ne peut emmagasiner autant de neurotransmetteurs. Ainsi, une plus grande quantité de neurotransmetteurs est présente dans la synapse et les neurotransmetteurs peuvent continuer librement de se lier avec les récepteurs de cellules nerveuses réceptrices.

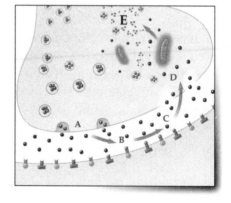

Dépression et vieillissement

Des changements dans les vaisseaux sanguins consécutifs à
l'hypertension artérielle, le diabète ou un niveau de cholestérol
élevé peuvent endommager de
petites régions du tissu cérébral.
La recherche sur l'imagerie médicale suggère que les aînés
ayant cette forme de dommage
des tissus cérébraux sont plus
susceptibles de développer une
dépression. Le maintien d'un
poids santé, faire de l'exercice
physique de façon régulière et
recourir à des soins médicaux
appropriés dans un délai rai-
sonnable contribuent à réduire le
risque de subir une dépression
en vieillissant.

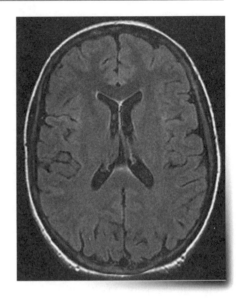

L'image du haut montre un cerveau normal. L'image du bas
montre quelques petites régions
du cerveau endommagées par
des vaisseaux sanguins en mauvais état.
(voir flèches).

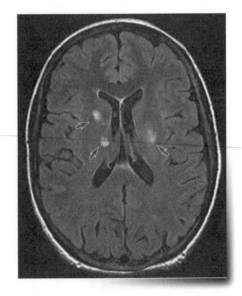

Chapitre 4

Identification et diagnostic de la dépression

L a dépression passe souvent inaperçue ou évolue sans traitement. Les intervenants en santé peuvent ne pas faire le lien entre la dépression et certains symptômes physiques, à savoir : la fatigue, la céphalée, la douleur et l'insomnie. Souvent, les individus qui sont déprimés le nient et minimisent leurs symptômes ou les rationalisent en affirmant « qu'il s'agit uniquement de stress ». Bon nombre de gens évitent de consulter un médecin parce qu'ils associent à tort le diagnostic de la dépression à un échec personnel ou à une faiblesse de caractère. Bien que les préjugés reliés à la maladie mentale aient régressé, le manque de connaissances, l'inquiétude face aux réactions d'autrui et des craintes quant à la confidentialité de leur état, font en sorte que des gens souffrant de dépression continuent de se priver d'aide.

Puisque la dépression est de plus en plus reconnue comme étant une maladie, tant de la part des médecins que de la population en général, son identification et son diagnostic ne cessent d'augmenter.

Quels sont les signes d'alarme ?

Chacun d'entre nous peut se sentir déprimé à l'occasion. Le décès d'un ami intime, la fin d'une relation affective, la perte d'un emploi ou un déplacement à l'extérieur du pays sont des raisons normales de se sentir dépressif. Après quelque temps, la plupart des gens retrouvent leur entrain et ressentent à nouveau la joie de vivre. Lorsque les sentiments de tristesse, d'irritabilité ou de fatigue persistent, il y a une possibilité que vous soyez aux prises avec une dépression.

La dépression peut se manifester suite à un événement « stressant » ou surgir sans raison apparente. Les symptômes peuvent se manifester soudainement ou se développer sur une période de plusieurs mois ou même plusieurs années. Les signes et les symptômes de la dépression sont multiples et ne suivent pas nécessairement un modèle particulier. En fait, vous pouvez être déprimé sans même vous sentir déprimé. La dépression peut se manifester sous différentes formes, notamment s'exprimer par l'irritabilité et la perte d'intérêt pour des activités qui vous ont toujours semblé agréables.

La dépression est caractérisée par plusieurs des signes et symptômes suivants :

Tristesse persistante. Vous vous sentez abattu, triste, ressentez un sentiment de vide intérieur. Vous pouvez pleurer tout le temps ou vous sentir hébété et n'éprouver ni joie ni tristesse.

Irritabilité. Vous vous emportez facilement ou êtes troublé par des choses qui ne vous ont jamais dérangé auparavant.

Sentiments d'anxiété. Vous êtes plus nerveux que d'habitude, préoccupé par de petits problèmes et faites des « montagnes avec des riens ». Vous vous sentez agité, manifestez des troubles digestifs ou vous avez « le trac ».

Perte d'intérêt ou de joie de vivre. Vous ne ressentez plus aucun plaisir à vous livrer à des activités ou à des loisirs, seul ou en compagnie de gens avec qui vous avez toujours eu de l'agrément.

Négligence des responsabilités personnelles ou des soins d'hygiène personnelle. Si vous êtes habituellement rapide dans l'exécution des travaux domestiques, scolaires ou des activités professionnelles, vous oubliez d'acquitter vos factures, vous prenez du retard au travail ou vous commencer à sécher les cours. Vous accordez moins d'attention à votre hygiène personnelle, notamment au soin de votre chevelure. La femme qui normalement se préoccupait de son apparence physique cesse de se maquiller ou s'habille avec des vêtements froissés ou négligés.

Changements au niveau des habitudes alimentaires. Vous n'avez pas d'appétit et vous perdez du poids sans suivre de diète ou vous vous suralimentez et gagnez du poids.

Changements au niveau des habitudes de sommeil. Vous avez de la difficulté à vous endormir, vous vous réveillez souvent ou tôt le matin et êtes incapable de vous rendormir. Il est également possible que vous dormiez longtemps et passiez une bonne partie de la journée au lit.

Fatigue et perte d'énergie. Votre niveau d'énergie est bas et vous vous sentez constamment fatigué. Vos mouvements corporels de même que votre élocution sont plus lents.

Diminution de la concentration, de l'attention et de la mémoire. Vous êtes sujets à des problèmes de concentration et avez peine à maintenir votre attention dans l'exécution de tâches domestiques, scolaires ou professionnelles. Il est de plus en plus difficile de prendre des décisions, même très simples. Vous oubliez facilement certaines choses.

Changements extrêmes de l'humeur. Vous ressentez des écarts importants de l'humeur et vous passez de l'euphorie au désespoir dans une courte période de temps.

Sentiments d'impuissance. Vous sentez que vous perdez le contrôle de votre vie. Vous êtes facilement envahi par le stress et vous êtes dépendant des autres, même pour des choses simples.

Sentiments de désespoir. Vous avez de la difficulté à envisager la vie d'un œil positif et vous avez l'impression que les choses ne s'arrangeront jamais. Les encouragements de vos proches qui tentent de vous persuader que la situation va s'améliorer ne parviennent pas à vous rassurer. Vous ne parvenez plus à trouver de motivation et vous vous demandez si la vie vaut la peine d'être vécue.

Sentiments d'inutilité et de culpabilité. Vous commencez à sentir que vous n'êtes pas «aussi bon» que les gens de votre entourage, ce qui vous pousse à vous isoler et vous vous sentez coupable sans raison valable. Un événement qui s'est produit il y a plusieurs années et qui ne vous avait pas préoccupé ressurgit et devient une source de culpabilité.

Pensées négatives continuelles. Vous devenez pessimiste, perdez l'estime de vous-même et ne croyez pas que la vie peut s'améliorer. Des phrases comme «Je ne suis pas bon»; «Je ne suis pas capable»; «Qu'est-ce que cela peut faire?» font partie courante de votre vocabulaire.

Symptômes physiques qui ne s'améliorent pas avec le traitement. Vous pouvez connaître des céphalées, des problèmes digestifs ou une douleur chronique, symptômes souvent associés à la dépression.

Consommation accrue d'alcool ou de médicaments. Vous tentez de soulager vos symptômes de dépression en consommant de l'alcool et des médicaments légaux ou illégaux. Ces substances affectent le fonctionnement du cerveau et ne font qu'aggraver votre dépression.

Pensées morbides et idées suicidaires. Vous souhaitez la mort et vous avez des pensées comme: «Si Dieu venait me chercher, ce serait un soulagement!» «Si je pouvais m'endormir et ne plus me réveiller, ma famille serait débarrassée». Vous pensez à des moyens de vous suicider. Si vous commencez à échafauder des plans de suicide, consultez immédiatement un médecin. Le suicide est traité en détails au chapitre 15.

Vous croyez être déprimé ? Passez ce test

Certains organismes spécialisés en santé mentale offrent des autoévaluations en ligne et vous aident à déterminer si vous souffrez de dépression. La National Mental Health Association est au nombre de ces organisations. Vous pouvez accéder à cette évaluation en ligne à l'adresse Internet suivante : *www.depression-screening.org.* Ce sondage est un questionnaire confidentiel à choix multiples qui permet d'identifier les signes et les symptômes de la dépression et indique si vous avez ou non besoin de consulter un spécialiste de la santé mentale afin d'obtenir une évaluation plus approfondie. Les résultats peuvent être obtenus instantanément en ligne.

Le questionnaire figurant à la fin de ce chapitre représente un autre moyen de vérifier si vous êtes ou non dépressif.

Moyens d'obtenir de l'aide

Si les résultats du test ou la façon dont vous vous sentez laissent supposer que vous pouvez être déprimé, communiquez avec quelqu'un qui est en mesure de vous aider. Plusieurs personnes peuvent vous aider à obtenir les soins médicaux appropriés et déterminer si la dépression est la source de vos symptômes.

- Prenez un rendez-vous avec votre médecin de famille.
- Demandez à des membres de votre famille ou à des amis de vous recommander un psychiatre, un psychologue ou un conseiller.
- Communiquez avec une organisation de santé communautaire ou un centre de santé mentale. Ils offrent souvent des services gratuits ou à coûts réduits.
- Voyez un prêtre ou un conseiller spirituel pour obtenir des conseils ou une référence.
- Communiquez avec la succursale locale des associations professionnelles de santé mentale.
- Consultez les ressources à la fin de ce livre pour obtenir la liste des organisations disponibles ainsi que les adresses Internet.
- Communiquez avec une ligne d'assistance.

Qui offre des soins de santé mentale ?

Votre médecin de famille est la personne la mieux placée pour discuter de la plupart de vos problèmes de santé. Cependant, pour certains problèmes de santé particuliers, il est souvent utile de recourir à un spécialiste qui est familier avec le traitement de la maladie en question. Ainsi, pour le traitement de l'arthrite, vous pourriez désirer consulter un spécialiste de l'arthrite, soit un rhumatologue. Pour contrôler votre diabète, votre médecin pourrait vous recommander les services d'un spécialiste du diabète, soit un endocrinologue. Mais qu'en est-il de la dépression ? Qui traite la dépression et comment pouvez-vous savoir à quel type de professionnel vous adresser ?

Vous trouverez ci-dessous une liste des spécialistes de soins de santé formés pour traiter la dépression. Si vos symptômes sont mineurs, votre médecin de famille est possiblement en mesure de soigner votre maladie. Toutefois, si vos symptômes sont graves et que votre dépression nuit à votre capacité de fonctionner normalement sur une base quotidienne ou que le traitement que vous recevez actuellement n'est pas efficace, vous devriez consulter un spécialiste.

Lorsque vous choisissez un spécialiste de la santé mentale, vous devez tenir compte de ses études, de son permis de pratiquer la médecine, de ses champs de spécialisation, de ses honoraires, de ses heures de bureau et de la durée prévisible du traitement.

Psychiatre

Le psychiatre est un médecin qui a complété au moins 5 années de formation spécialisée après avoir obtenu le permis de pratique de la médecine (M.D.). Le psychiatre a obtenu un permis d'exercice de la médecine dans la province ou le pays où il pratique et est certifié par le Collège des médecins du Québec et est membre de l'A.M.P.Q. (Association des médecins psychiatres du Québec). Les psychiatres sont les intervenants les mieux formés pour offrir des soins en santé mentale. Ils ont la compétence nécessaire pour mettre en œuvre tous les aspects du traitement de la dépression, y compris la prescription des médicaments.

Psychologue

Le psychologue a généralement complété au moins 4 années d'études universitaires et dans la plupart des cas, détient un doctorat en psychologie.

Dans certaines provinces et pays, des titulaires de maîtrise peuvent exercer sous la supervision d'un Ph.D. ou d'un médecin.

Les psychologues administrent des tests pour diagnostiquer la dépression et utilisent différentes formes de psychothérapie pour traiter les maladies. La psychothéraphie intègre la discussion des peurs et des inquiétudes, comment vivre avec les émotions et les comportements variables. Contrairement aux psychiatres, les psychologues n'ont pas le droit de prescrire des médicaments.

Travailleur social

Les travailleurs sociaux représentent le groupe de professionnels qualifiés le plus nombreux à offrir des soins en santé mentale. Afin de pouvoir exercer, ils doivent détenir une Maîtrise en travail social et posséder une formation pratique en psychothérapie. Au Québec, le titre de travailleur social est réservé exclusivement aux membres en règle de l'Ordre professionnel des travailleurs sociaux du Québec. Les travailleurs sociaux œuvrent au sein d'une grande diversité de services : hôpitaux, cliniques externes ou agences de travailleurs sociaux, mais ne peuvent prescrire de médicaments. Les travailleurs spécialisés en santé mentale n'ont pas tous des permis pour exercer la psychothérapie. Certains travaillent comme agents de gestion de cas et coordonnent des services psychiatriques, médicaux et autres pour des gens qui ont besoin d'aide afin de gérer certains aspects de leur vie.

Infirmière en psychiatrie

L'infirmière en psychiatrie détient un diplôme en sciences infirmières et un permis de pratique décerné par l'Ordre professionnel des infirmiers et infirmières du Québec. Elle reçoit également une formation supplémentaire en psychiatrie. L'infirmière clinicienne spécialisée détient un baccalauréat en soins infirmiers et une maîtrise en santé mentale, en soins infirmiers ou dans un domaine connexe. L'infirmière clinicienne peut accomplir un travail de psychothérapeute. Dans certaines provinces, elle peut également donner des médicaments, généralement sous la supervision d'un psychiatre. Les infirmières praticiennes peuvent également travailler en psychiatrie. Elles ont une formation spécialisée en évaluation des aptitudes physiques et en diagnostic infirmier.

Spécialiste de la thérapie familiale ou de groupe

Les spécialistes de la thérapie familiale sont des professionnels diplômés comme des psychiatres, des psychologues, des travailleurs sociaux et des infir ....rmation spécifique en thérapie familiale. .... les maladies mentales dans un contexte i... ....le leur Ordre professionnel, ils détiennen... .... une formation médicale, en plus de deux ....

Conseil... .. ..

Le cons..... .. ..mbre du clergé qui intègre les concepts .... sciences du comportement.

Par où commencer?

Si vous croyez être déprimé, prenez un rendez-vous avec votre médecin habituel, si vous en avez un ou avec un professionnel de la santé mentale. Votre médecin peut vous guider et peut être en mesure de diagnostiquer et de traiter votre dépression. Pour les symptômes légers ou moyens, un travailleur social, une infirmière en psychiatrie ou un spécialiste en thérapie familiale peuvent également vous donner les soins nécessaires.

Si vos symptômes sont graves et que votre comportement nuit à vos activités quotidiennes, que le traitement actuel ne semble pas fonctionner ou si votre médecin de famille ou un autre professionnel de la santé vous le recommande, consultez un psychiatre ou un psychologue. Si vous êtes actuellement traité pour dépression et que le traitement ne semble pas vous aider, essayez d'obtenir un nouvel avis professionnel.

Depuis quelques années, il arrive fréquemment qu'une équipe formée d'un psychiatre, d'un psychologue, d'un travailleur social ou d'une infirmière en psychiatrie travaille ensemble pour vous donner de meilleurs soins. Choisissez une personne ou un groupe avec qui vous vous sentez à l'aise. Si vous vous sentez inconfortable avec votre traitement, n'ayez pas peur de demander l'avis d'un autre professionnel de la santé mentale.

Étapes vers le diagnostic

Après avoir pris un rendez-vous avec un intervenant en santé mentale, à quoi devez-vous vous attendre? Il arrive parfois que le spécialiste soit en mesure de déterminer en une seule visite si vous êtes ou non victime d'une dépression. Dans d'autres cas, particulièrement lorsque la dépression est accompagnée d'une autre maladie ou de circonstances difficiles, il est possible que plus d'une visite soit nécessaire avant d'établir un diagnostic définitif.

Exemple de questionnaire d'un patient

Voici un questionnaire utilisé à la clinique Mayo par des médecins de première ligne pour aider à identifier le diagnostic de la dépression.

1. Au cours des deux dernières semaines, combien de fois avez-vous rencontré les problèmes suivants ?

	Aucune	Plusieurs jours	Plus d'une demi-journée chaque jour	Presque chaque jour
	0	1	2	3
A) Peu d'intérêt et de plaisir à faire des choses ?	——	——	——	——
B) Cafard, avoir le sentiment d'être déprimé ou désespéré ?	——	——	——	——
C) Difficulté à vous endormir, à rester endormi ou sommeil excessif ?	——	——	——	——
D) Sensation de fatigue ou manque d'énergie ?	——	——	——	——
E) Peu ou trop d'appétit ?	——	——	——	——
F) Sentiment négatif face à vous-même, sentiment d'échec ou de laisser-aller face à vous-même ou votre famille ?	——	——	——	——
G) Problèmes de concentration pour des choses précises comme lire le journal ou regarder la télé ?	——	——	——	——
H) Lenteur dans la parole et les gestes au point où les autres le remarquent, ou au contraire, activité plus grande et agitation anormale ?	——	——	——	——
I) Pensées qu'il serait préférable d'être mort ou souhaitez-vous vous blesser d'une façon ou de vous blesser d'une façon ou d'une autre ?	——	——	——	——

Résultat final : ——

2. Si vous avez répondu à ce questionnaire, indiquez jusqu'à quel point vos problèmes de santé vous nuisent dans l'exécution de votre travail, de vos tâches domestiques ou lorsque vous êtes en compagnie d'autres personnes ?

——Peu   ——Quelque peu   ——Beaucoup   ——Énormément

Source : PRIME-MD Questionnaire médical du patient.

Voir encadré à la fin de ce chapitre pour obtenir de l'information sur la notation du test.

Hormis le fait de déterminer si vous êtes déprimé ou non, il est important d'identifier de quel type de dépression vous souffrez. Tous les types de dépression réagissent différemment aux traitements. Afin de soigner votre maladie le plus adéquatement possible, votre spécialiste en santé mentale doit comprendre de quel type de dépression vous souffrez. Le diagnostic de la dépression peut comporter une ou plusieurs des étapes suivantes.

Consultation et antécédents médicaux

Au cours de la première visite, votre intervenant vous questionnera probablement sur l'ensemble de vos symptômes, vous demandera comment vous vous sentez et quelles sont vos préoccupations. Il vous interrogera aussi sur vos antécédents médicaux. Vous devez vous attendre à des questions comme :

« Avez-vous déjà été déprimé ou dans un tel état au cours de votre vie ? »

« Avez-vous eu des problèmes de santé récemment ? »

Vous pourriez également être questionné sur l'état de santé des membres de votre famille.

Examen physique et tests

Si vous consultez votre médecin de famille ou un psychiatre, il pourra procéder à un examen physique et exiger des analyses sanguines afin de vérifier si d'autres problèmes médicaux peuvent être à l'origine de vos symptômes. Les analyses sanguines aident à évaluer la santé de votre foie et de vos reins et à identifier des problèmes de la glande thyroïde ou surrénale, d'anémie ou d'infection, qui peuvent tous causer la dépression.

Questionnaire personnel

Certains professionnels de la santé utilisent des questionnaires pour en savoir davantage sur vos signes et symptômes spécifiques, depuis combien de temps et à quel point ils nuisent à votre vie quotidienne. Divers questionnaires et tests psychologiques peuvent vous aider à diagnostiquer la dépression. Certains sont courts, d'autres longs. Vos réponses aident à identifier les problèmes personnels reliés à votre maladie et à déterminer la gravité de votre dépression. Des questionnaires sont parfois utilisés pour mesurer vos progrès au cours d'un traitement.

Notation du test

Le questionnaire de la page 58 peut être noté de plusieurs façons, dont la suivante :

- Comptez le nombre de fois où vous avez répondu « Plus d'une demi-journée, chaque jour » ou « Presque chaque jour ».
- Regardez si vous avez répondu « Plus d'une demi-journée, chaque jour » ou « Presque chaque jour » à la question A ou B.

Si vous avez choisi « Plus d'une demi-journée, chaque jour » ou « Presque chaque jour » trois ou quatre fois, y compris en réponse à la question A ou B, vous êtes peut-être déprimé et devriez consulter votre médecin. N'hésitez pas à consulter votre médecin si vous avez des inquiétudes concernant la dépression, et ce, indépendamment des résultats obtenus à ce test.

Chapitre 5

Types de dépression

L a dépression peut prendre plusieurs formes et ce sont les symptômes et les circonstances associés à chacune de ces formes, la durée et la gravité de ces symptômes qui permettent de les différencier. Toutefois, il n'existe pas de distinction précise entre les différents types de dépression et ils ont fréquemment les mêmes caractéristiques. Il est également possible d'être atteint de plus d'un type de trouble de l'humeur.

Afin de déterminer le traitement le mieux approprié à des symptômes et circonstances spécifiques, les professionnels en santé mentale classent les différentes formes de dépression. Cette classification commence par les principales catégories de dépression :

- dépression majeure ;
- dysthymie ;
- troubles de l'adaptation ;
- trouble bipolaire.

Chacune de ces catégories principales comporte plusieurs sous-types.

Dépression majeure

La dépression majeure est la forme de dépression la plus courante. Elle est caractérisée par un changement de l'humeur qui dure plus de 2 semaines et comporte un ou plusieurs des signes principaux de la dépression :

- sentiments accablants de tristesse ou de chagrin ;
- perte d'intérêt ou de plaisir pour des activités généralement appréciées.

Les gens qui souffrent de dépression majeure connaissent au moins quatre autres des signes et symptômes suivants de façon régulière, sinon quotidienne :

- perte ou gain de poids significatifs ;
- troubles du sommeil ;
- mouvements ralentis ou agitation ;
- fatigue ou perte d'énergie ;
- dévalorisation ou culpabilité injustifiée ;
- sentiments de détresse ou de désespoir ;
- réduction de la capacité de réflexion ou de concentration ;
- perte de désir sexuel ;
- pensées récurrentes de mort ou de suicide.

Vous pouvez subir une dépression majeure une seule fois ou elle peut être récurrente. Les risques de récidive suite à un premier épisode de dépression majeure sont de 50 % et augmentent à chaque nouvel épisode. Si vous subissez deux dépressions majeures, les risques d'en connaître une troisième grimpent à 70 %.

Lorsqu'ils ne sont pas traités, les épisodes de dépression majeure durent généralement de 6 à 18 mois. Un traitement rapide empêche la dépression de s'aggraver et un traitement continu peut éviter une récidive.

La dépression majeure peut survenir conjointement avec d'autres maladies mentales, comme les troubles anxieux ou alimentaires. Le premier épisode peut se produire à tout âge, mais plus vraisemblablement entre les âges de 25 et 44 ans. La dépression majeure est plus fréquente chez les femmes que les hommes. Des événements stressants de la vie et des pertes importantes sont généralement deux éléments déclencheurs de ce type de dépression.

Dysthymie

La dysthymie est une forme persistante de dépression légère caractérisée par un état de tristesse persistant. Ce mot provient de la civilisation grecque, où le thymus était vu comme la racine de toutes les émotions. *Dys* signifie mauvaise et *thymia* dénote un état d'esprit.

La dysthymie dure généralement au moins 2 ans et parfois plus de 5 ans. Cette forme dépressive n'est habituellement pas invalidante et les épisodes de dysthymie peuvent alterner avec de courts intervalles, pendant lesquels la personne se sent normale. Cette maladie peut nuire tant à votre vie professionnelle qu'à votre vie sociale. En fait, plusieurs personnes souffrant de ce trouble ont tendance à s'isoler et sont moins productives. Les dysthymiques présentent des risques plus élevés de développer une dépression majeure. Lorsque la dysthymie se complique d'une dépression majeure, elle devient une double dépression.

Les signes et les symptômes de la dysthymie ressemblent à ceux d'une dépression majeure, mais ne sont pas aussi intenses et parfois moins nombreux. Ils peuvent comprendre :

- difficultés de concentration et de prise de décision ;
- retrait social ;
- irritabilité ;
- agitation ou torpeur ;
- troubles du sommeil ;
- pertes ou gains de poids.

Certaines personnes souffrant de dysthymie se souviennent de s'être d'abord senti déprimées durant l'enfance ou l'adolescence. Quelques personnes développent une dysthymie après l'âge de 50 ans, souvent à la suite d'un problème de santé.

Au moins 75 % des gens atteints de dysthymie éprouvent d'autres problèmes de santé.

Troubles de l'adaptation

La dépression majeure est souvent précédée de troubles de l'adaptation. Supposons que votre mariage soit un désastre, que votre entreprise ne fonctionne pas bien ou que vous receviez un diagnostic de cancer. Il serait tout à fait normal de vous sentir tendu, triste, accablé et en colère. La plupart des gens finissent par accepter les conséquences durables de ces désagréments de la vie, mais certaines personnes en sont incapables. Ce phénomène est connu sous le nom de troubles de l'adaptation. La réaction à un événement ou à une situation stressante provoque des signes et des symptômes de dépression, mais ces signes et symptômes ne sont pas assez importants pour répondre aux critères d'une dépression majeure.

Les médecins utilisent généralement les critères suivants afin de diagnostiquer un trouble de l'adaptation :

- symptômes émotionnels ou comportementaux en réaction à un événement précis s'étant produit au cours des 3 derniers mois ;

- réaction face à cet événement excédant la réaction généralement prévisible;
- symptômes qui ne sont pas causés uniquement par un deuil.

Chacun d'entre nous est susceptible d'être affecté par des troubles de l'adaptation. Ils font souvent éruption dans votre vie au moment où vous êtes dans une situation de vulnérabilité, à titre d'exemple lorsque vous quittez la maison familiale ou à la fin d'une carrière bien remplie. L'âge joue également un rôle important. Ainsi, il est moins stressant de perdre son commerce à 30 ans qu'à 50 ans, alors que les possibilités d'emploi sont moins nombreuses. Certaines personnes développent un trouble d'adaptation en réaction à un seul événement, alors que chez d'autres, il est la conséquence d'une combinaison de facteurs de stress.

Il existe plusieurs types de troubles de l'adaptation. Un trouble d'adaptation aigu se caractérise par des signes et des symptômes qui durent moins de 6 mois. Lorsque ces symptômes persistent, la maladie est connue sous le nom de trouble d'adaptation chronique. Les troubles de l'adaptation sont également classées en fonction de leurs symptômes principaux:

- trouble d'adaptation accompagné d'humeur dépressive;
- trouble d'adaptation accompagné d'anxiété;
- trouble d'adaptation accompagné d'anxiété et d'humeur dépressive;
- trouble d'adaptation accompagnée de perturbations des émotions et de la conduite.

L'âge joue souvent un rôle important quant au type de trouble d'adaptation vécu. Les adultes deviennent généralement déprimés ou anxieux, alors que les adolescents ont tendance à extérioriser leurs problèmes. Il peut s'agir de séchage de cours, de consommation de drogues, de vandalisme ou d'autres types de comportements marginaux.

Trouble bipolaire

Certaines personnes atteintes de dépression connaissent des cycles périodiques de dépression et d'euphorie (manie). Cette maladie, qui se caractérise par des émotions aux deux extrêmes (pôles) est également connue sous le nom de dépression maniaco-dépressive.

Contrairement à la dépression, la phase maniaque procure au malade un sentiment de grande énergie et de puissance. Vous pourriez dépenser de l'argent de façon imprudente, prendre de très mauvaises décisions ou avoir des idées de grandeur qui se traduiront par une mauvaise transaction commerciale ou un comportement irréfléchi (impulsif). Certaines personnes ont des élans de créativité et de productivité durant la phase maniaque.

Les signes et les symptômes de la manie comprennent :

- euphorie excessive ;
- surcroît d'énergie ;
- diminution des besoins de sommeil ;
- irritabilité inhabituelle ;
- croyance irréaliste en ses capacités et ses pouvoirs ;
- augmentation du débit de parole ;
- pensées qui défilent ;
- mauvais jugement ;
- augmentation du désir sexuel ;
- comportement social provocant, dérangeant ou agressif ;
- consommation abusive d'alcool ou d'autres drogues.

Le trouble bipolaire n'est pas aussi fréquent que la dépression majeure ou la dysthymie. Sur les quelques 18 millions de Nord-Américains souffrant de dépression, plus de 3,7 % sont atteints de trouble bipolaire. Les hommes et les femmes présentent des risques identiques quant à cette maladie. Elle se manifeste généralement au cours de l'adolescence ou au début de l'âge adulte et se poursuit de façon intermittente tout au long de l'existence. Elle est souvent héréditaire et de 80 pour cent à 90 pour cent des gens qui souffrent de trouble bipolaire ont un proche parent affligé d'une forme quelconque de dépression.

Les signes et les symptômes de trouble bipolaire ont tendance à s'aggraver avec le temps. Vous pouvez commencer par des épisodes de dépression, de manie ou un mélange de symptômes dépressifs et maniaques, séparés par des périodes « normales » sans symptômes. Avec le temps, les épisodes bipolaires deviennent plus fréquents et les périodes normales plus courtes.

La dépression grave ou l'euphorie peuvent être accompagnées de psychose, y compris d'hallucinations et de délire.

Comme pour les autres formes de dépression, il est essentiel de recourir au traitement approprié pour le trouble bipolaire afin d'empêcher que la maladie s'aggrave et réduire le risque de suicide.

Formes diverses

Il existe trois types de troubles bipolaires :

Trouble bipolaire 1. Le trouble bipolaire 1 comprend presque toujours une ou plusieurs périodes de dépression majeure et au moins un épisode maniaque ou un mélange de dépression majeure et de manie. Le trouble bipolaire 1 peut commencer soit par la dépression majeure, soit la manie. Si vous subissez une dépression en premier, il est possible que celle-ci soit suivie 1 ou 2 ans plus tard d'un épisode maniaque.

Trouble bipolaire 2. Cette forme de la maladie comporte un ou plusieurs épisodes de dépression majeure et au moins une période d'hypomanie, c'est-à-dire un état d'euphorie légère ou atténuée. Les périodes d'exaltation ne sont pas aussi extrêmes que pour les personnes atteintes de trouble bipolaire 1 et la durée des intervalles entre chacun des épisodes est différente. Lorsque vous êtes atteint de trouble bipolaire 2, l'hypomanie survient souvent tout de suite avant ou immédiatement après une période de dépression majeure. Il n'y a généralement aucune période « normale » entre les deux états.

Trouble cyclothymique. Il s'agit d'une forme plus légère de trouble bipolaire chronique. Il se caractérise par des alternances entre de courtes périodes de dépression légère et de courtes périodes d'hypomanie. Les changements de l'humeur se produisent fréquemment, en l'espace de quelques jours, avec des cycles qui se poursuivent pendant au moins 2 ans. Lorsque l'on souffre de cyclothymie, il est impossible de ne pas avoir de symptômes pendant plus de 2 mois à la fois, mais les risques de développer une dépression majeure sont nettement moins élevés.

Qu'est-ce qu'une dépression nerveuse ?

L'expression *dépression nerveuse* est souvent utilisée par le grand public pour décrire l'état de celui qui subit une forme sévère de maladie mentale. La plupart du temps, un individu qu'on dit en pleine dépression nerveuse vit un épisode de dépression majeure ou de manie. Les symptômes sont si prononcés qu'il est impossible de fonctionner normalement et il est même possible que la personne doive être hospitalisée. Puisque les symptômes apparaissent parfois soudainement, il peut sembler que cette personne s'écroule. La dépression sévère et la manie sont parfois accompagnées d'hallucinations et de délire. Heureusement, grâce à un diagnostic et à un traitement appropriés, beaucoup de gens qui ont souffert d'une dépression nerveuse ont pu se rétablir et retrouver leur ancienne qualité de vie.

Autres dimensions de la dépression

En plus d'identifier le type de dépression dont vous souffrez, votre médecin voudra évaluer la gravité de votre maladie et le type de symptômes. Ceci l'aidera à déterminer la forme de traitement la plus efficace. Il existe plusieurs sous-types de dépression. Certaines d'entre elles sont fréquentes et d'autres sont rares.

Dépression légère à grave

La dépression majeure peut varier de légère à grave. La dépression légère comporte des symptômes moins intenses qui ne font que perturber légèrement les activités quotidiennes et les relations interpersonnelles. La dépression modérée comporte des symptômes plus intenses et perturbe davantage la vie professionnelle, scolaire, familiale et les relations interpersonnelles. La dépression grave comporte de nombreux symptômes dépressifs et nuit considérablement aux activités quotidiennes. Dans des cas extrêmes, les gens souffrant de dépression grave peuvent s'avérer inaptes au travail ou incapables de prendre soin d'eux-mêmes (perdre leur autonomie).

Dépression suicidaire

La dépression suicidaire fait référence à des symptômes tellement aigus que la personne qui en souffre envisage le suicide.

Dépression aiguë ou chronique

La dépression peut être catégorisée selon la durée de ses symptômes. Si ses symptômes durent pendant une période courte et clairement définie, la dépression est appelée aiguë. Si ses symptômes sont présents depuis plus de 6 mois, la dépression est considérée comme chronique.

Épisode isolé ou dépression récurrente

La dépression est également catégorisée en fonction de sa récurrence chronologique. Un épisode de dépression isolé signifie que vous n'avez pas d'antécédents au niveau de la dépression. Comme son nom l'indique, la dépression récurrente fait référence à plus d'un épisode dépressif.

L'épisode isolé et la dépression récurrente peuvent être tous deux déclenchés par un événement particulier. La dépression récurrente peut également être provoquée par une saison particulière (voir «dépression saisonnière» en page 69).

Mélancolie

Mélancolie est l'expression définissant un type de dépression majeure comportant des caractéristiques particulières, dont l'incapacité d'apprécier les joies du quotidien, même lorsque des événements heureux se produisent. Elle se caractérise également par une perte d'appétit, des réveils très matinaux, des mouvements ralentis et un sentiment de culpabilité non fondé.

Dépression catatonique

La catatonie est un syndrome rare qui peut survenir au cours d'une dépression. Au cours d'une dépression grave ou d'une phase maniaque, certaines personnes atteignent un stade où elles peuvent difficilement bouger ou bougent de façon exagérée, adoptent des postures inhabituelles et parlent très peu. La catatonie comporte également d'autres caractéristiques, notamment la propension à fixer, à faire des grimaces et à répéter des mots ou des phrases de façon absurde.

Dépression atypique

Les personnes souffrant de dépression atypique sont capables d'éprouver du plaisir, même si ce n'est que de façon passagère. Elles ont tendance à être très sensibles au rejet, à manger et à dormir exagérément et à ressentir une fatigue générale. La dépression atypique survient généralement à l'adolescence ou au début de l'âge adulte et peut s'avérer chronique. Il en sera question de façon plus détaillée au chapitre 13.

Dépression psychotique

La dépression psychotique est une forme moins courante de la maladie et les gens qui en souffrent ont parfois des hallucinations et des délires. Les délires sont de fausses croyances qui persistent même s'il apparaît évident qu'elles sont contraires à la vérité. Dans la dépression psychotique, les délires peuvent s'avérer de nature paranoïde, financière ou médicale. Les gens souffrant de paranoïa sont souvent méfiants et inquiets quant aux intentions des gens qui les entourent. Ceux qui ont des délires financiers sont persuadés, et ce, sans fondement, qu'ils sont ruinés. Quant à ceux qui ont des délires en regard de leur santé, ils sont persuadés d'être atteints d'une grave maladie.

Dépression du post-partum

Bon nombre de femmes éprouvent temporairement des sentiments de tristesse suite à un accouchement. Ce phénomène communément appelé syndrome du troisième jour ou *baby blues* a tendance à s'estomper graduellement et ne requiert généralement aucun traitement. Toutefois, suite à un accouchement, certaines femmes connaissent une forme de dépression majeure nommée dépression du post-partum. Contrairement au syndrome du troisième jour, les symptômes de la dépression du post-partum sont plus graves et persistants. Un épisode de dépression post-partum augmente les risques de subir des séquences de dépression récurrentes, soit à la suite d'accouchements subséquents, soit en tout autre temps.

Dépression saisonnière

Dépression saisonnière ou trouble affectif saisonnier est le terme utilisé pour définir les périodes dépressives consécutives à un changement de saison. Personne ne sait avec exactitude ce qui cause la dépression saisonnière. Les scientifiques ont d'abord cru que des niveaux de luminosité réduits augmentaient le niveau de mélatonine à l'intérieur du cerveau. La mélatonine est une hormone qui contrôle l'humeur et qui est normalement produite en période de noirceur. Toutefois, les études menées sur le rôle de la mélatonine se sont avérées peu concluantes. Certains chercheurs croient maintenant que le manque de lumière solaire perturbe le rythme circadien, lequel régularise l'horloge interne du corps. Cette théorie comporte une part de vraisemblance, car la dépression saisonnière est plus fréquente aux endroits où les heures d'ensoleillement sont restreintes. Les gens souffrant de dépression saisonnière notent généralement des changements d'humeur à la fin de l'automne, puis une amélioration au printemps, mais certaines personnes subissent une dépression estivale qui commence à la fin du printemps ou au début de l'été.

La dépression saisonnière est quatre fois plus fréquente chez les femmes que les hommes.

Ce syndrome fait généralement son apparition vers l'âge de 23 ans et les risques de le développer décroissent avec l'âge. Vous souffrez peut-être de dépression saisonnière si vous avez vécu une dépression et les symptômes qui y sont associés pendant au moins deux hivers consécutifs, suivie de périodes non dépressives au printemps et en été.

Autres termes

Les médecins utilisent d'autres termes pour identifier et diagnostiquer la dépression selon son origine et son rapport avec d'autres maladies.

Dépression secondaire

Parfois, la dépression n'est pas le problème de santé principal, mais bien plutôt le symptôme d'une autre maladie. Ce phénomène est appelé dépression secondaire ou dépression due à un problème médical spécifique. La dépression secondaire peut résulter de troubles de la glande thyroïde et des glandes surrénales ou être associée aux conséquences permanentes d'une maladie du cœur, du diabète ou d'un autre problème médical.

Dépression comorbide

La dépression comorbide est une dépression accompagnée d'une autre maladie mentale. Ainsi, la dépression et l'anxiété surviennent fréquemment ensemble. Lorsqu'elles sont associées, elles peuvent produire plus de signes et de symptômes que lorsqu'elles sont seules et le traitement des deux maladies peut s'avérer difficile. La dépression comorbide comprend également la dépression avec toxicomanie, qui est le résultat d'un abus d'alcool, de médicaments sur ordonnance ou de drogues illicites. Divers types de dépressions sont décrits au chapitre 14.

Établissement d'un bon diagnostic

Il est quelquefois assez simple de déterminer le type de dépression dont souffre un individu quand les signes, les symptômes et les problèmes situationnels de cette personne indiquent tous un seul type de maladie dépressive. En d'autres occasions, lorsque plusieurs symptômes sont présents ou que les problèmes situationnels sont plus complexes, il devient plus difficile de déterminer le type de dépression.

Il est important que votre médecin sache exactement le type de dépression dont vous souffrez afin qu'il puisse la traiter efficacement. Certaines médications et thérapies sont plus efficaces que d'autres pour des types de dépression spécifiques. De plus, si votre dépression est accompagnée d'une autre maladie mentale, votre médecin voudra prendre les mesures nécessaires pour traiter les deux maladies. S'il traite uniquement la dépression, l'autre trouble pourrait persister, entraînant un risque plus élevé de récidive de la dépression.

Section 2

Traiter la dépression

Chapitre 6

Vue d'ensemble du traitement

L a majorité des gens aux prises avec la dépression peuvent obtenir de l'aide. Les antidépresseurs et autres traitements font souvent une grande différence en l'espace de quelques semaines au niveau des symptômes dépressifs. Avec un traitement approprié, environ 8 sur 10 des personnes atteintes de dépression voient leur état s'améliorer. Si on tient compte de la médiocrité du traitement contre la dépression, il y a à peine 100 ans, il y a lieu d'affirmer que les chercheurs ont accompli de remarquables progrès dans le contrôle de cette maladie. De plus, tout porte à croire que les traitements seront encore plus efficaces dans un avenir rapproché.

Un siècle de progrès

Avant le 20e siècle, la plupart des gens atteints de dépression n'avaient droit ni à un diagnostic ni à un traitement. Les premiers prototypes de sédatifs étaient administrés aux malades qui étaient très agités, anxieux ou souffraient de dépression psychotique, mais il n'existait encore aucune forme de traitement spécifique efficace. Pour la majorité des malades, les seuls soins, lorsqu'il y en avait, étaient prodigués par des membres de la famille. Certaines personnes ont tenté de soigner la dépression au moyen de divers traitements obscurs qui ont presque toujours échoué. Les gens atteints de dépression grave et invalidante étaient souvent hospitalisés dans des établissements psychiatriques jusqu'à ce que leur condition s'améliore, ce qui prenait généralement plusieurs mois, parfois même davantage.

C'est pendant la deuxième moitié du 19e siècle que la dépression a commencé à faire l'objet d'études scientifiques. Soucieux de mieux comprendre les maladies mentales, les chercheurs ont commencé à classer ces maladies, y compris la dépression, en fonction de symptômes particuliers et de caractéristiques cliniques. L'une des premières innovations importantes dans le cadre de ces efforts de classification visait à distinguer la maladie maniaco-dépressive, aujourd'hui appelée trouble bipolaire, de la schizophrénie. Cette approche consistant à distinguer les maladies au moyen de symptômes et de caractéristiques cliniques est encore utilisée de nos jours, mais sous des formes plus évoluées.

Des traitements contre la dépression ont vu le jour au fur et à mesure que les chercheurs sont parvenus à mieux comprendre les différentes formes de la maladie mentale.

Les années 1900 et la psychanalyse

En 1917, Sigmund Freud publiait *Mourning and Melancholia (Deuil et Mélancolie)*, un ouvrage dans lequel il décrivait la dépression comme «une colère tournée contre soi-même». Freud et d'autres ont élaboré des théories à l'effet que la dépression pouvait être guérie au moyen d'un traitement intensif appelé psychanalyse. Ce programme qui comprenait des séances de discussion sur les expériences vécues au cours de l'enfance, l'analyse des rêves et l'association libre incluait des séances d'une durée d'environ une heure, qui se tenaient d'une à plusieurs fois par semaine, pendant quelques mois ou parfois quelques années. Au cours de la première moitié du 20e siècle, dès qu'il était question de traitement psychiatrique, c'est la psychanalyse qui venait à l'esprit de la majorité des gens.

Les années 1930 et le traitement par les électrochocs

Les chercheurs ont d'abord cru que les gens qui étaient atteints de troubles épileptiques avaient moins de problèmes de santé mentale que ceux qui n'en étaient pas affligés. À partir de cette croyance, les chercheurs ont voulu vérifier si le fait de provoquer une crise chez les gens atteints de maladie mentale et qui ne souffraient pas d'épilepsie pouvait les guérir. Ces expériences ont mené à une méthode connue sous le nom de traitement par les électrochocs. Pour traiter les dépressions et d'autres maladies mentales, les médecins allaient injecter des substances chimiques provoquant des crises. Bien que les crises se soient souvent avérées efficaces dans l'amélioration des symptômes, beaucoup de gens les ont trouvées terrifiantes. De plus, l'utilisation de substances chimiques pour déclencher une crise s'est avérée peu fiable.

En 1938, deux médecins italiens ont été les précurseurs d'une nouvelle méthode consistant à utiliser un courant électrique pour provoquer une crise chez un individu atteint de maladie mentale. Cette méthode, souvent appelée traitement par les électrochocs, représentait une amélioration par rapport aux techniques précédentes, car elle permettait de mieux contrôler le moment où la crise aurait lieu. Elle comportait également moins de risques de complications médicales, y compris le décès. Le traitement par les électrochocs a été le premier traitement efficace contre la dépression grave et à partir du milieu des années 1950, elle a été utilisée fréquemment.

Le début des années 1950 : la première génération d'antidépresseurs

Au début des années 1950, deux découvertes inattendues ont mené à des changements spectaculaires quant au traitement de la dépression, de pair avec la découverte des antibiotiques pour traiter les infections et l'insuline pour combattre le diabète.

Les entreprises pharmaceutiques, à la recherche de nouveaux antihistaminiques plus efficaces ne causant pas de sédation, ont découvert l'imipramine (Tofranil). Au cours de leur recherche, les scientifiques ont découvert que l'imipramine améliorait également l'humeur chez les gens déprimés qui prenaient des médicaments pour contrôler des allergies ou une inflammation. Les médecins ont rapidement commencé à utiliser l'imipramine pour soigner la dépression, en plus d'autres médicaments fabriqués à partir de substances chimiques apparentées. Ces antidépresseurs sont appelés tricycliques.

La seconde découverte est la conséquence du traitement contre la tuberculose. Les médecins ont remarqué que l'iproniazide, un médicament utilisé pour soigner la tuberculose, permettait d'améliorer l'humeur chez certaines personnes atteintes de tuberculose et déprimées. L'iproniazide est devenu le premier de la catégorie des antidépresseurs appelés inhibiteurs de la monoamine oxydase. L'usage de l'iproniazide a été abandonné en raison de ses effets secondaires graves, particulièrement au niveau du foie. Cependant, des inhibiteurs de la monoamine oxydase améliorés ont été développés et ont pris la relève.

La fin des années 1950 : la psychothérapie

En raison du temps et du coût associés à la psychanalyse, les psychiatres et les psychologues ont commencé à explorer d'autres méthodes pour soigner la dépression. Quelques professionnels de la santé mentale ont également réalisé que la psychanalyse n'était pas essentielle dans le traitement de la plupart des cas de dépression et que des méthodes moins intenses pouvaient s'avérer aussi efficaces.

Ces efforts d'exploration ont mené éventuellement au développement de deux formes courantes de psychothérapie encore utilisées de nos jours, soit la thérapie cognitivo-comportementale et la thérapie interpersonnelle. La thérapie cognitivo-comportementale est axée sur l'identification des comportements malsains et des croyances négatives responsables de la dépression et sur la nécessité de les remplacer par des comportements sains. La thérapie interpersonnelle aide les gens atteints de dépression à développer des stratégies afin de composer avec les problèmes de relations interpersonnelles et de communication associés à leur dépression.

Les années 1970 et le lithium

En 1949, un psychiatre australien découvrait les bienfaits du lithium, mais ce n'est qu'au début des années 1970 que les médecins américains ont commencé à l'utiliser pour soigner les troubles bipolaires. Le lithium agit en tant que régulateur de l'humeur et permet de traiter et de prévenir les deux formes maniaques extrêmes, soit l'euphorie et la dépression. C'est toutefois pour le traitement de la manie qu'il est le plus efficace.

Avant l'utilisation du lithium, les antidépresseurs constituaient le seul traitement contre la dépression bipolaire. Toutefois, les antidépresseurs peuvent déclencher une phase maniaque. La combinaison du lithium et d'un antidépresseur permet de réduire ce risque.

Le début des années 1980 et la photothérapie

Au début des années 1980, les revues médicales décrivaient pour la première fois un nouveau sous-type de dépression appelé dépression saisonnière ainsi que son traitement innovateur. La dépression saisonnière affecte les gens qui vivent à des latitudes supérieures et elle sévit particulièrement durant les mois où la lumière du jour est restreinte. Le traitement pour ce type de dépression comprend le fait de s'asseoir à proximité de dispositifs spéciaux diffusant une lumière vive. Des études suggèrent que la photothérapie pourrait s'avérer efficace pour soigner d'autres types de dépression, particulièrement celles qui sont associées aux changements saisonniers.

Les années 1980 et la deuxième génération d'antidépresseurs

C'est la découverte de nouvelles catégories d'antidépresseurs durant la dernière partie des années 1980 qui a révolutionné le traitement de la dépression. Les inhibiteurs sélectifs de la recapture de la sérotonine furent les premiers médicaments de ce genre disponibles en Amérique du Nord. D'autres types de médicaments suivirent bientôt. La deuxième génération d'antidépresseurs n'était pas nécessairement plus efficace que la première cuvée, mais l'utilisation de ces nouveaux médicaments comportait moins de risques et présentait des effets secondaires moins graves et plus tolérables. Grâce à ces améliorations, les médecins sont plus enclins à prescrire des médicaments contre la dépression et les personnes qui en sont atteintes ont moins de réticences à les consommer.

Les années 1990 : la médication et la psychothérapie font équipe

Jusqu'au début des années 1990, deux écoles se faisaient face lorsqu'il était question du traitement de la dépression. Le premier camp insistant sur l'utilisation des médicaments et le deuxième prônant la psychothérapie. Plusieurs études ont permis de résoudre ce conflit en révélant qu'une combinaison des deux méthodes permettait d'améliorer la réaction au traitement et de diminuer les risques de récidive. Si vous souffrez d'une dépression légère à modérée, il est impossible de prédire si vous vous sentirez mieux suite à un traitement faisant appel uniquement aux médicaments ou à la psychothérapie ou à une combinaison des deux. Toutefois, ce qui est certain, c'est que dans le cas d'une dépression grave ou chronique, la combinaison des deux méthodes offre les meilleures possibilités d'amélioration.

Les traitements de demain

Actuellement, un domaine populaire d'étude comprend des procédures susceptibles de mener éventuellement à une alternative de l'électrochoc. Une de ces approches propose l'utilisation d'impulsions magnétiques plutôt que l'électricité pour stimuler les régions du cerveau touchées par la dépression. Un type de traitement différent stimule le nerf vague, ce gros nerf du cou qui transmet des signaux à des régions du cerveau associées à la dépression.

La génétique représente un autre domaine de recherche qui recèle d'intéressantes possibilités pour de nombreuses maladies et troubles, y compris la dépression. À partir d'information génétique, les médecins pourraient fabriquer des médicaments spécifiques en choisissant des médicaments présentant une forte possibilité d'efficacité en tenant compte de la constitution génétique d'un individu. Cette méthode a déjà fait ses preuves chez certaines personnes ayant des problèmes d'hypertension artérielle. Cette connaissance génétique a déjà permis l'identification rapide d'hommmes et de femmes présentant des risques de dépression, et ainsi de procéder à un traitement précoce et possiblement préventif.

Il n'existe pas de traitement universel

Des médicaments à la psychothérapie, il existe plusieurs options pour traiter la dépression et chacune d'entre elles joue un rôle important. Tout comme la cause de votre dépression peut être reliée à un entrecroisement complexe de facteurs, trouver le traitement le plus efficace pour soigner votre dépression peut s'avérer un processus complexe nécessitant un investissement en temps et un encadrement professionnel.

Au cours des quatre prochains chapitres, nous discuterons en détail des diverses options offertes pour traiter la dépression, de leur mode d'action, de leurs avantages et de leurs effets secondaires. Nous traiterons également de ce que vous pouvez faire sur une base quotidienne en complémentarité au traitement de votre médecin, pour gérer votre dépression ou éviter une récidive.

Chapitre 7

Médicaments et mode d'action

L es antidépresseurs constituent souvent le premier choix dans le traitement de la dépression parce qu'ils sont efficaces et que les antidépresseurs les plus récents produisent moins d'effets secondaires que les anciens. Il existe de nombreux types d'antidépresseurs. Les scientifiques ne savent pas avec exactitude comment ces médicaments améliorent les symptômes de la dépression et le mécanisme peut varier selon les individus. Il est connu que les antidépresseurs influencent l'activité des substances chimiques du cerveau appelées neurotransmetteurs.

Aussi puissants et efficaces soient-ils, ces médicaments ne sont pas toujours efficaces. De plus, ces médicaments n'agissent pas de la même façon sur chaque personne. Certains malades bénéficient grandement des effets d'un certain antidépresseur alors que d'autres n'en éprouvent qu'un soulagement partiel et certains n'en retirent aucun profit. Il arrive parfois qu'un autre type d'antidépresseur ou une combinaison de médicaments soit nécessaire pour soulager la dépression.

Types d'antidépresseurs

Pour comprendre les nombreux types d'antidépresseurs disponibles, il est utile de les classer en groupes mettant en évidence leurs similarités et leurs différences. Ce regroupement peut se faire de plusieurs façons, selon la date de mise sur le marché des médicaments (les antidépresseurs plus récents et les plus anciens), leur structure chimique ou leurs effets sur les neurotransmetteurs du cerveau. Dans ce livre, nous traitons des antidépresseurs en fonction de leurs effets sur les neurotransmetteurs du cerveau.

Neurotransmetteurs du cerveau

Les neurotransmetteurs sont des substances chimiques utilisées par les cellules nerveuses pour communiquer entre elles. Les cellules nerveuses n'ont pas de contact entre elles. Le processus suivant doit avoir lieu pour qu'une cellule nerveuse du cerveau communique avec une autre cellule : une cellule nerveuse qui transmet un message à une autre cellule libère plusieurs copies du même neurotransmetteur à l'intérieur d'un point de contact étroit (synapse) entre les deux cellules (voir illustration en page I 5 dans la section des illustrations).

À l'intérieur de la synapse, les neurotransmetteurs sont attirés et se lient aux récepteurs sur la cellule nerveuse réceptrice un peu comme une clé (neurotransmetteur) et sa serrure (cellule réceptrice). Ces récepteurs sont situés sur la couche extérieure de la cellule nerveuse réceptrice. Lorsque les neurotransmetteurs se lient avec les récepteurs, la cellule nerveuse réceptrice reçoit le message de la cellule nerveuse transmettrice. La cellule nerveuse réceptrice relâche les neurotransmetteurs à l'intérieur de la synapse, où elles demeurent jusqu'à ce qu'elles soient renvoyées à l'intérieur de la cellule nerveuse transmettrice, selon un processus appelé recapture. Les neurotransmetteurs sont soit réemmagasinés à l'intérieur de la cellule nerveuse transmettrice pour usage ultérieur ou détruits par un enzyme appelé monoamine-oxydase.

La sérotonine et la norépinéphrine sont des neurotransmetteurs associés à la dépression et un troisième, la dopamine, joue peut-être un rôle dans cette maladie. Les chercheurs suggèrent que les personnes déprimées possèdent une quantité moindre d'un ou plusieurs de ces transmetteurs entre les cellules nerveuses, à l'intérieur de la synapse, que les gens qui ne sont pas déprimés.

Fonctionnement des antidépresseurs

La façon dont les antidépresseurs soulagent la dépression est complexe et partiellement comprise. Les médecins croient que les médicaments influencent l'activité cérébrale de trois façons principales. Un type spécifique d'antidépresseurs peut effectuer une ou plusieurs des actions suivantes :

- inhiber la recapture des neurotransmetteurs. Les neurotransmetteurs demeurent ainsi dans la synapse pendant une plus longue période, où elles continuent d'être actives et d'envoyer des messages ;
- bloquer certains récepteurs chimiques sur lesquels agissent les neurotransmetteurs. Ceci empêche la cellule nerveuse réceptrice

de recevoir un certain nombre de messages de la cellule nerveuse transmettrice ;

• inhiber les enzymes monoamine-oxydase qui détruisent les neuro-transmetteurs, occasionnant la présence d'un plus grand nombre de transmetteurs à l'intérieur de la synapse, où elles continuent de se lier librement à des récepteurs de la cellule nerveuse réceptrice.

5 catégories

Les antidépresseurs peuvent être divisés en cinq groupes en fonction de leurs effets sur les neurotransmetteurs du cerveau :

• les inhibiteurs sélectifs de la recapture de la sérotonine ;
• les inhibiteurs mixtes de la recapture ;
• les bloqueurs des récepteurs ;
• divers inhibiteurs et bloqueurs du récepteur ;
• les inhibiteurs d'enzymes (inhibiteurs non sélectifs de la monoamine-oxydase (IMAO) et inhibiteurs sélectifs de la monoamine-oxydase de type A (RIMA)).

Inhibiteurs sélectifs de la recapture de la sérotonine

Ce groupe d'antidépresseurs influence l'activité de la sérotonine du neurotransmetteur en bloquant le retour de la sérotonine (recapture) à sa cellule d'origine. Les premiers médicaments de cette catégorie, appelés inhibiteurs sélectifs de la recapture de la sérotonine, ont été mis sur le marché à la fin des années 1980. L'expression « sélectifs » vient de la capacité de ces médicaments d'agir presque exclusivement sur la sérotonine et très peu sur les autres neurotransmetteurs. Les inhibiteurs spécifiques de la recapture de la sérotonine comprennent :

• Citalopram (Celexa)
• Fluvoxamine (Luvox)
• Fluoxétine (Prozac)
• Paroxétine (Paxil)
• Sertraline (Zoloft)

Certains utilisateurs d'inhibiteurs sélectifs de la recapture de la sérotonine éprouvent des problèmes gastro-intestinaux. Toutefois, ces problèmes sont mineurs et disparaissent au bout d'un certain temps. Ces médicaments peuvent également occasionner des problèmes sexuels, notamment réduire le désir ou empêcher d'atteindre l'orgasme. Environ 30 pour cent des utilisateurs d'inhibiteurs sélectifs de la recapture de la sérotonine sont incapables d'obtenir un orgasme.

«Le syndrome de la sérotonine» est un effet secondaire extrêmement rare, mais potentiellement mortel. Il se développe surtout lorsqu'un inhibiteur sélectif interagit avec d'autres antidépresseurs, généralement un inhibiteur de la monoamine-oxydase. Ce phénomène peut également se produire lorsque les inhibiteurs spécifiques sont pris conjointement avec d'autres médicaments qui influencent la sérotonine. C'est une des raisons pour lesquelles il faut éviter de prendre un inhibiteur sélectif de la recapture de la sérotonine avec du millepertuis, une herbe médicinale vendue sans ordonnance. Le millepertuis provoque plusieurs actions chimiques, dont l'une affecte l'activité de la sérotonine. Les signes et les symptômes du «syndrome de la sérotonine» peuvent comprendre la confusion, des hallucinations, des fluctuations au niveau de la tension artérielle et du rythme cardiaque, de la fièvre, des crises d'épilepsie et même un coma.

Inhibiteurs mixtes de la recapture

Contrairement aux inhibiteurs de la recapture de la sérotonine qui nuisent exclusivement à la recapture de la sérotonine, les inhibiteurs mixtes bloquent le recapture de plusieurs neurotransmetteurs.

Inhibiteur de la recapture de la sérotonine-norépinéphrine
La venlafaxine (Effexor) inhibe la recapture de la sérotonine et de la norépinéphrine. Certaines personnes qui prennent de la venlafaxine peuvent éprouver une augmentation de la pression artérielle. C'est pourquoi votre médecin pourrait surveiller votre pression artérielle de près une fois que vous aurez commencé à prendre cette médication, particulièrement si vous suivez un traitement contre l'hypertension artérielle.

Inhibiteurs de la recapture de la dopamine-norépinéphrine
Le bupropion (Wellbutrin) inhibe la recapture de la dopamine et de la norépinéphrine. Le bupropion est moins susceptible d'occasionner des problèmes sexuels ou de l'hypertension artérielle. Il présente également moins de risques de causer d'autres effets secondaires fréquemment associés aux antidépresseurs, comme la somnolence ou le gain de poids. Ce médicament peut toutefois augmenter les possibilités de crises convulsives d'épilepsie. Son usage est donc généralement déconseillé

aux gens qui ont des antécédents de crises convulsives ou aux personnes atteintes de boulimie mentale. La boulimie mentale augmente les risques de crises.

Bloqueurs des récepteurs

Au lieu d'inhiber la recapture du neurotransmetteur, la mirtazapine (Remeron) empêche les neurotransmetteurs de se lier à certains récepteurs de cellules nerveuses, particulièrement celles qui reçoivent les messages de la norépinéphrine. On croit que ce blocage de récepteurs spécifiques cause une augmentation indirecte des activités de la norépinéphrine et de la sérotonine à l'intérieur du cerveau.

Divers inhibiteurs et bloqueurs des récepteurs

Ces antidépresseurs agissent sur les cellules du cerveau de deux façons : en inhibant la recapture d'un ou plusieurs neurotransmetteurs et en bloquant un ou plusieurs récepteurs de cellules nerveuses.

Trazodone

La trazodone (Désyrel) inhibe la recapture de la sérotonine et bloque un certain type de récepteur de sérotonine. Elle bloque également, dans une moindre mesure, plusieurs types de récepteurs qui reçoivent des messages des neurotransmetteurs norépinéphrine et histamine. Vu qu'elle bloque les récepteurs d'histamine, la trazodone est plus susceptible d'occasionner de la somnolence (sédation) que d'autres antidépresseurs.

Elle est fréquemment utilisée à faibles doses pour favoriser le sommeil. Les médecins combinent parfois la tradozone à un autre antidépresseur. Elle favorise un meilleur sommeil, alors que l'autre médicament agit pour soulager la dépression.

Néfazodone

La néfazodone (Serzone) inhibe la recapture de la sérotonine et, dans une moindre mesure, la norépinéphrine. Elle bloque également un certain type de récepteur de sérotonine et, dans une moindre mesure, un certain type de récepteur de la norépinéphrine.

Maprotiline

La maprotiline (Ludiomil) inhibe la recapture de la norépinéphrine et bloque certains types de récepteurs de la norépinéphrine.

Antidépresseurs tricycliques

(inhibiteurs non sélectifs de la recapture de la monoamine)

Les antidépresseurs tricycliques inhibent la recapture de la sérotonine et de la norépinéphrine et bloquent certains récepteurs. Chacun des types d'antidépresseurs tricycliques agit d'une façon légèrement différente, établissant son propre cycle d'effets. Les antidépresseurs tricycliques comprennent :

- l'amitriptyline (Elavil) ;
- la désipramine (Norpramin) ;
- l'imipramine (Tofranil) ;
- la nortriptyline (Aventyl, Norventyl) ;
- la protriptyline (Triptil) ;
- la trimipramine (Surmontil, Rhotrimine);
- la clomipramine (Anafranil).

Les antidépresseurs tricycliques sont utilisés depuis les années 1950, mais ils ne représentent généralement pas un premier choix de médication, car ils sont susceptibles d'occasionner un plus grand nombre d'effets secondaires incommodants que d'autres antidépresseurs. Les antidépresseurs tricycliques sont souvent prescrits lorsque d'autres médicaments ne sont pas efficaces. Ils s'avèrent également efficaces dans le traitement de la douleur chronique. Les effets secondaires courants des antidépresseurs tricycliques comprennent la sécheresse de la bouche, une vision floue, des étourdissements, de la somnolence, un gain de poids, de la constipation et de la difficulté à uriner.

Les antidépresseurs tricycliques peuvent déclencher ou aggraver certaines maladies, y compris une hypertrophie de la prostate et quelques variétés de glaucome et de maladies cardiaques.

Inhibiteurs d'enzymes

Les inhibiteurs non sélectifs de la monoamine-oxydase (IMAO)

Les inhibiteurs non sélectifs de la monoamine-oxydase (IMAO) bloquent l'action des enzymes de la monoamine-oxydase logés à l'intérieur des cellules nerveuses et qui détruisent la norépinéphrine et la sérotonine. Ainsi, les neurotransmetteurs demeurent actifs plus longtemps à l'intérieur de la synapse. Les IMAO comprennent :

- la phenelzine (Nardil) ;
- la tranylcypromine (Parnate).

Puisqu'ils provoquent des effets secondaires graves et qu'il y a disponibilité de plusieurs autres antidépresseurs, les IMAO sont actuellement peu prescrits. Les médecins y recourent uniquement lorsque d'autres antidépresseurs se sont avérés inefficaces.

Les interactions entre les aliments et les médicaments représentent un problème grave en ce qui concerne les IMAO. Les aliments et les médicaments qui contiennent un niveau élevé d'acide aminé tyramine peuvent interagir avec les médicaments, provoquant une augmentation marquée de la pression sanguine, susceptible de causer un mal de tête, une accélération du rythme cardiaque ou même un accident vasculaire cérébral. Les personnes qui prennent des IMAO doivent se conformer à un régime sévère et être prudentes dans leur consommation d'autres médicaments. Parmi les aliments qui contiennent de l'acide aminé tyramine, on retrouve le fromage, le chocolat, les produits contenant du soya, quelques haricots, les avocats, le café, la bière, le vin rouge et les cornichons.

Lorsqu'on cesse de prendre des IMAO, il est important de se conformer à des restrictions alimentaires et médicales pendant au moins 2 semaines après avoir cessé de prendre la médication afin d'éviter d'éventuelles réactions de l'effet persistant du médicament sur l'organisme.

Les inhibiteurs sélectifs de la monoamine-oxydase de type A (RIMA)

Au Canada, il existe un antidépresseur qui inhibe la monoamine-oxydase de façon sélective et reversible (RIMA) :

• le moclobémide (Manerix).

Cet antidépresseur inhibe la monoamine-oxydase de type A seulement et n'inhibe pas la monoamine-oxydase de type B qui métabolise le tyramine. Ainsi il n'y a pas de risque d'interaction avec les aliments et les médicaments.

Choisir un antidépresseur

Votre médecin doit ternir compte de plusieurs facteurs dans le choix de l'antidépresseur le plus approprié pour traiter votre dépression.

Efficacité

Tous les antidépresseurs approuvés par la Fédération américaine des aliments et drogues (FDA) ont été reconnus comme étant d'efficacité égale, avec de 60 % à 80 % de chances d'améliorer les symptômes. Les médecins sont incapables de prévoir quel médicament sera ou non efficace dans le traitement d'une personne en particulier. Les antécédents familiaux constituent une bonne source d'information pour votre médecin. Si un de vos proches réagit favorablement à un antidépresseur spécifique, ce médicament pourrait également vous être bénéfique.

Effets secondaires

De façon générale, les nouveaux antidépresseurs causent moins de complications graves et ont moins d'interactions avec les médicaments et d'effets secondaires incommodants que les antidépresseurs traditionnels. Parmi ces nouveaux médicaments, on retrouve des inhibiteurs spécifiques de la recapture de la sérotonine comme la venlafaxine, la mirtazapine et la néfazodone. Parmi les antidépresseurs qui sont sur le marché depuis plus longtemps, on retrouve les tricycliques et les inhibiteurs non sélectifs de la monoamine-oxydase (IMAO).

Toutefois, même les nouvelles médications présentent des effets secondaires potentiels. Les effets secondaires les plus fréquents de ces antidépresseurs sont la nausée, le mal de tête, la diarrhée, la fatigue, l'insomnie, les ballonnements, les étourdissements, les changements au niveau de l'appétit, les variations de poids et la nervosité. Ces effets sont bénins et diminuent souvent dans un délai de plusieurs jours à quelques semaines. Les médecins sont incapables de prédire quels médicaments sont susceptibles de causer tel ou tel effet chez des individus en particulier. Les raisons pour lesquelles un antidépresseur cause des problèmes à certaines personnes et non à d'autres demeurent relativement incomprises des médecins.

En plus de présenter moins de risques d'effets secondaires, les nouveaux antidépresseurs comportent l'avantage d'être plus faciles à administrer. Les antidépresseurs plus anciens sont administrés à raison de deux ou trois doses quotidiennes afin de réduire les effets secondaires désagréables ou la dose est augmentée graduellement sur une période prolongée. Les antidépresseurs plus récents n'ont généralement besoin d'être administrés qu'une fois par jour et la majorité des gens atteignent une dose efficace plus rapidement.

Les antidépresseurs plus anciens comportent également un autre désavantage, car lorsque vous commencez à prendre la médication, vous devez procéder régulièrement à des prises de sang afin de vous assurer de recevoir la dose appropriée.

Associations médicamenteuses

Parfois, deux antidépresseurs valent mieux qu'un. Ainsi, lorsqu'un inhibiteur spécifique de la recapture de la sérotonine s'avère incapable de vous soulager entièrement de votre dépression, votre médecin pourrait décider d'ajouter un deuxième produit provenant d'une autre famille de médicaments, comme le bupropion ou la mirtazapine.

Ces associations de médicaments, chacun des produits agissant de façon différente, sont souvent en mesure de contrôler la dépression lorsqu'un seul médicament ne parvient pas à faire le travail. Toutefois, lorsque vous combinez des médicaments, vous êtes susceptibles d'être exposé à des interactions médicamenteuses ou des effets secondaires plus importants et vous devez être suivi de près. Une fois que votre état se sera stabilisé pendant une période de quelques semaines ou quelques mois, votre médecin pourra vous recommander de n'utiliser à nouveau qu'un seul médicament ou de réduire la dose.

Coût

Les nouveaux médicaments coûtent généralement plus chers que les anciens, surtout parce que les anciens sont disponibles sous forme de préparations génériques. Un nouveau médicament est habituellement mis sur le marché en tant que produit de marque déposée relativement dispendieux et vendu exclusivement par la société qui l'a développé. Lorsque le brevet d'un médicament expire, soit dans une période variant entre 10 et 15 ans après qu'il ait été accordé, d'autres entreprises sont autorisées à le fabriquer, produisant ainsi ce qu'on appelle des médicaments génériques. Ces médicaments génériques coûtent presque toujours moins cher que les médicaments de marques déposées et sont généralement aussi efficaces. La Fédération américaine des aliments et drogues réglemente la fabrication des médicaments génériques comme celle des médicaments de marques déposées. Ce processus permet d'assurer la qualité du produit. Si le coût des médicaments vous préoccupe, votre médecin peut vous recommander un antidépresseur plus ancien, disponible sous forme générique, afin de vérifier s'il est en mesure de contrôler effectivement vos symptômes sans effets secondaires incommodants.

De plus, certains régimes de soins médicaux ou compagnies d'assurance subviennent aux frais de médicaments ou remboursent leurs membres pour certains types d'antidépresseurs.

Lorsqu'une personne est gravement déprimée, un médecin peut prescrire un stimulant en plus d'un antidépresseur. Au nombre de ces stimulants, on retrouve le méthylphénidate (Ritalin, Methylin) et la dextroamphétamine (Dexédrine, Dexasone). Les stimulants aident à améliorer l'humeur et augmentent le niveau d'énergie en attendant que l'antidépresseur commence à agir. Généralement, après 1 à 4 semaines, vous pouvez arrêter de prendre le stimulant et vous limiter à l'antidépresseur.

Dosage

Si vous êtes déprimé, vous souhaiterez vous sentir mieux rapidement et votre médecin de même. Malheureusement, les antidépresseurs n'agissent pas immédiatement, car leur action est lente. La médication peut commencer à agir en l'espace de 2 semaines, mais prendre jusqu'à 8 semaines avant que vous en ressentiez tous les bienfaits. Si le dosage initial recommandé par votre médecin n'est pas adéquat, il pourrait vouloir essayer un dosage supérieur. Toutefois, chacun des ajustements de dosage fait reculer l'horloge et il vous faut attendre quelques semaines de plus avant de savoir si le nouveau dosage est plus efficace.

Les médecins sont parfois tentés de recommander une dose plus élevée au départ afin d'obtenir une réaction plus rapide. Cette tentation doit toutefois être considérée avec prudence puisqu'une trop grande quantité de médicaments administrée trop rapidement augmente les risques d'effets secondaires. Vous pourriez perdre patience en raison des effets secondaires et cesser de prendre la médication avant que celle-ci ait eu le temps d'agir. Vous pourriez également prendre une dose plus élevée du médicament requis et avoir à débourser davantage.

Durée

Le traitement médicamenteux pour la dépression est souvent divisé en deux étapes. La première étape, consistant à améliorer la condition, s'appelle la thérapie aiguë. La deuxième étape consiste à maintenir une bonne condition et a pour nom thérapie d'entretien.

Certaines personnes doivent prendre des médicaments jusqu'à la fin de leurs jours afin de contrôler leur dépression et d'éviter une rechute. En revanche, pour d'autres personnes, il ne s'agit que d'un traitement temporaire jusqu'à ce que les facteurs biologiques inconnus qui ont causé la dépression soient élucidés ou que les circonstances désagréables qui ont déclenché la maladie s'améliorent. De façon générale, si vous faites une dépression à épisode isolé qui persiste de plusieurs mois à quelques années avant que vous recherchiez un traitement, une fois votre dépression terminée, vous devrez continuer à prendre un antidépresseur pendant une période additionnelle de 6 à 12 mois.

Cesser de prendre le médicament plus tôt aurait pour effet d'augmenter les risques de retour de la dépression dès l'arrêt de la médication.

La décision concernant la durée de la période pendant laquelle il faut continuer à prendre un antidépresseur doit être adaptée aux conditions de chaque personne. Votre médecin tiendra compte de la gravité et de la durée de votre dépression avant le traitement, du niveau de difficulté qu'exige le traitement de la dépression, si vous avez subi d'autres dépressions précédemment ou s'il y a des antécédents de dépression au niveau de votre famille, si vous avez vécu du stress avant ou durant le traitement, si vous subissez encore du stress et si vous vous sentez capable de gérer votre stress.

Lorsqu'il sera temps de cesser de prendre votre antidépresseur, vous voudrez certainement convenir avec votre médecin de la réduction graduelle de la dose médicamenteuse sur une période donnée. En réduisant la dose, certaines personnes constatent que leurs symptômes reviennent et doivent recommencer à consommer une dose plus élevée de la médication pendant une autre période de 6 à 12 mois. Chez un faible pourcentage de gens dont la dépression a refait surface après avoir cessé de prendre la médication, celle-ci n'est plus efficace lorsqu'ils en reprennent. Pour éviter cette situation, il est préférable de réduire graduellement la dose et d'être attentifs aux symptômes récurrents.

Médicaments additionnels

Selon le type de dépression dont vous souffrez et si votre dépression est accompagnée d'une autre maladie, votre médecin pourrait vous recommander un second médicament, en plus de l'antidépresseur, pour soigner votre dépression.

Régulateurs de l'humeur

Les personnes souffrant de trouble bipolaire prennent des régulateurs de l'humeur, lesquels provoquent des alternances entre la dépression et l'euphorie (manie). Le lithium et les anticonvulsivants sont les deux principaux types de régulateurs de l'humeur.

Lithium. Le lithium est une substance naturelle qu'on retrouve en petites quantités dans certains sols et sources minérales. Il contrôle la manie, soulage la tristesse et aide à prévenir les changements d'humeur extrêmes. Le lithium est utilisé dans le traitement du trouble bipolaire depuis 1974 en Amérique du Nord. Bien que son fonctionnement demeure un mystère, il n'en a pas moins permis de réduire les symptômes chez environ 60 à 80 pour cent des gens qui ont des troubles bipolaires.

Le lithium est vendu sous les noms de marques Carbolith, Duralith et Lithane et sous forme de médicament générique sous le nom de carbonate de lithium. Si vous prenez ce médicament, votre médecin devra mesurer les niveaux de lithium dans votre sang afin d'ajuster la dose au niveau approprié. Certains médicaments peuvent causer une augmentation des niveaux de lithium dans la circulation sanguine. Parmi ces médicaments, on retrouve les anti-inflammatoires non stéroïdiens (AINS) comme l'ibuprofène (Advil, Motrin, Nuprin), le kétoprofène, (Actron, Orudis) et le naproxène (Naprosin). Certains médicaments contre l'hypertension artérielle comme l'hydrochlorotiazide (HydroDiuril) et les inhibiteurs d'enzymes de conversion de l'angiotensine (Accupril, Lotensin, Vasotec) peuvent également influencer les niveaux de lithium. Assurez-vous de toujours demander à votre médecin qu'il vous mentionne les possibles interactions médicamenteuses lorsqu'il vous prescrit un nouveau médicament ou que vous utilisez des analgésiques vendus sans ordonnance.

Les effets secondaires les plus courants du lithium sont la nausée, la diarrhée, la fatigue, la confusion et les tremblements des mains. Il arrive parfois que le lithium cause la soif et porte à uriner de façon excessive. Certains de ces symptômes disparaissent en l'espace de quelques jours, mais la soif, le besoin excessif d'uriner et les tremblements des mains peuvent persister. Si vous présentez ces symptômes, communiquez avec votre médecin.

Interaction médicamenteuse du lithium

Les médecins prescrivent parfois du lithium à des personnes déprimées qui ne souffrent pas de trouble bipolaire. Cela se produit généralement lorsqu'un antidépresseur n'est pas en mesure de faire le travail seul. Lorsqu'il est pris avec un antidépresseur, le lithium peut renforcer l'effet de cet antidépresseur ou l'aider à agir.

Anticonvulsivants. L'acide valproïque (Epival) et la carbamazépine (Apo-Carbamazepine, Tegretol) sont des médicaments anticonvulsivants principalement prescrits contre les crises d'épilepsie. Ils soulagent également le trouble bipolaire.

L'acide valproïque ou la carbamazépine peuvent aussi s'avérer utiles dans les cas où le lithium n'est pas efficace, tel que le trouble bipolaire à cycles rapides.

Les gens qui souffrent de cette forme de maladie expérimentent annuellement quatre épisodes ou plus. Dans certains cas, l'acide valproïque ou la carbamazépine sont pris conjointement avec le lithium. On ignore comment les anticonvulsivants agissent exactement pour soulager le trouble bipolaire.

Comme pour d'autres médications, les anticonvulsivants produisent des effets secondaires. L'acide valproïque peut occasionner de la sédation, une augmentation de l'appétit, un gain de poids et des problèmes de digestion. Les effets secondaires de la carbamazépine comprennent la somnolence, des étourdissements, de la confusion, des maux de tête et la nausée. Les éruptions cutanées, un des principaux effets secondaires de la carbamazépine disparaissent souvent une fois que vous cessez de prendre le médicament. Ils peuvent également occasionner des problèmes hépatiques chez certaines personnes. Avant de prendre l'un ou l'autre de ces médicaments, votre médecin devrait normalement examiner votre foie afin de s'assurer que vous n'avez pas de problèmes hépatiques et que vous pouvez prendre ce médicament sans danger. Une diminution du nombre de globules blancs constitue un autre des effets secondaires potentiels graves de la carbamazépine. Plus souvent qu'autrement, la diminution est infime, mais elle est parfois importante et augmente le risque d'infection.

Quelques nouveaux médicaments anticonvulsivants pour le traitement du trouble bipolaire sont actuellement à l'étude, dont le gabapentin (Neurontin), la lamotrigine (Lamictal), et la topiramate (Topamax).

Médicaments contre l'anxiété

La dépression et l'anxiété vont souvent de pair. Les antidépresseurs, particulièrement les inhibiteurs spécifiques de la recapture de la sérotonine ou la mirtazapine, permettent souvent de contrôler l'anxiété et de traiter la dépression. Toutefois, étant donné que les antidépresseurs peuvent prendre plusieurs semaines avant d'agir, votre médecin pourrait vous prescrire un second médicament pour une période limitée afin de contrôler l'anxiété jusqu'à ce que l'antidépresseur commence à faire effet. Il est possible que votre médecin vous prescrive un autre médicament si l'antidépresseur, pris seul, n'est pas efficace.

Les sédatifs appelés benzodiazépines agissent rapidement, souvent en l'espace de 30 à 90 minutes, pour soulager l'anxiété. Ces médicaments présentent toutefois deux inconvénients majeurs. D'une part, ils peuvent engendrer la dépendance quand ils sont pris pendant plus de quelques semaines. D'autre part, ils ne sont pas efficaces pour contrôler la dépression. C'est pourquoi les médecins ne les prescrivent généralement que durant un temps limité pour aider à surmonter une période particulièrement stressante ou jusqu'à ce que l'antidépresseur ait eu le temps d'agir. Les sédatifs les plus couramment vendus sur ordonnance sont :

- Alprazolam (Xanax) ;
- Chlordiazépoxide (Librium) ;
- Clonazépam (Rivotril, Alti-Clonazepam) ;
- Diazépam (Valium) ;
- Lorazépam (Ativan).

Les sédatifs peuvent occasionner des étourdissements, de la somnolence, des pertes d'équilibre et une réduction de la coordination musculaire. Des doses plus élevées et un usage prolongé peuvent nuire à la mémoire. Lorsque vous cessez de prendre des sédatifs, il est important de réduire graduellement la dose sur une période de plusieurs jours ou plusieurs semaines, tout en étant supervisé par votre médecin. Cette précaution peut éliminer des symptômes tels que la nausée, la perte d'appétit, l'irritabilité, l'insomnie, le mal de tête, les étourdissements et les tremblements.

Pour les problèmes d'anxiété plus graves, votre médecin pourrait vous recommander la buspirone (Buspar), un médicament qui est souvent utile dans le traitement de l'anxiété que les antidépresseurs ne sont pas en mesure de soulager. La buspirone s'avère également efficace pour traiter le trouble d'anxiété généralisée, une maladie caractérisée par une inquiétude excessive sans raison apparente. Ce médicament agit sur la sérotonine, mais d'une façon différente des inhibiteurs sélectifs de la recapture de la sérotonine. Comme les antidépresseurs, la buspirone prend jusqu'à 2 ou 3 semaines avant d'agir et il faut parfois jusqu'à 6 semaines avant que vous en ressentiez tous les effets. Malheureusement, il arrive souvent que la buspirone ne soit pas aussi efficace si vous avez déjà pris des benzodiazépines dans le passé.

Les effets secondaires courants de la buspirone comprennent une sensation d'étourdissement tout de suite après avoir pris le médicament. Cet effet dure généralement quelques minutes. Elle provoque également des effets secondaires moins fréquents comme des maux de tête, de la nausée, de la nervosité et de l'insomnie.

Antipsychotiques

Sur le marché depuis les années 1950, les antipsychotiques sont habituellement prescrits dans les cas de dépression graves accompagnés de psychose, une maladie dans laquelle les gens ont des hallucinations et des délires. Parmi les antipsychotiques les plus utilisés, on retrouve :

- l'halopéridol (Haldol) ;
- l'olanzapine (Zyprexa) ;
- la quetiapine (Seroquel) ;
- la rispéridone (Risperdal) ;
- la thioridazine (Mellaril) ;
- la trifluoperazine (Stelazine) ;
- la ziprasidone (Zeldox).

Les antipsychotiques bloquent les effets de la dopamine, associée à la psychose. Ces médicaments sont souvent efficaces, mais déclenchent des effets secondaires chez certaines personnes, y compris un gain de poids, une sécheresse de la bouche, une vision floue, de la constipation, de la somnolence et une sensibilité accrue aux rayons solaires. Les antipsychotiques produisent parfois des contractions involontaires sur de petits muscles du visage, sur les lèvres, la langue, et parfois d'autres parties du corps. Cette situation est plus fréquente avec les antipsychotiques plus anciens et avec un usage prolongé des médicaments.

Nouveaux médicaments sous étude

Les entreprises pharmaceutiques continuent leurs recherches sur de nouveaux médicaments pour traiter la dépression, espérant aider les gens qui ne réagissent pas favorablement aux antidépresseurs actuellement sur le marché ou qui trouvent les effets secondaires de ces médicaments intolérables. Si la recherche s'avère positive, ces médicaments pourraient inaugurer une nouvelle catégorie d'antidépresseurs, offrant plus d'options de traitements et améliorant notre compréhension de la physiologie de la dépression. Les deux types de médicaments suivants font actuellement l'objet d'études :

Bloqueur de la substance P. Ce médicament semble empêcher les cellules nerveuses de recevoir des messages d'une substance chimique appelée substance P. La substance P se retrouve dans le cerveau et la moelle épinière (système nerveux central) et joue un rôle dans la transmission des signaux de douleur. Pendant que les chercheurs envisageaient la possibilité d'utiliser ce médicament en tant que traitement potentiel de la douleur, ils ont découvert qu'il agissait comme un antidépresseur chez certaines personnes.

Bloqueur de corticolibérine. Une quantité excessive d'hormones appelées corticolibérines peut jouer un rôle dans la dépression. Les chercheurs échafaudent des hypothèses à l'effet que les hormones CRF, qui peuvent être activées par le stress, stimulent la libération d'autres substances chimiques à l'intérieur du cerveau, qui causent la dépression. Des études cliniques impliquant des animaux et des humains suggèrent que les médicaments qui empêchent le CRF d'agir sur les cellules nerveuses sont susceptibles de réduire les symptômes de la dépression.

Plusieurs études devront être effectuées afin de déterminer si ces deux types de médicaments sont sécuritaires et efficaces et s'ils interagissent avec d'autres médications. Les chercheurs sont particulièrement intéressés à savoir si ces médicaments peuvent être efficaces pour des personnes que d'autres antidépresseurs n'ont pu aider. Même si ces études continuent de révéler des points positifs, il faudra vraisemblablement plusieurs années avant que ces médicaments ne soient mis sur le marché.

Suppléments diététiques et à base d'herbes médicinales

Selon une étude récente, plus d'un tiers des gens qui souffrent de dépression ou d'anxiété grave utilisent une forme quelconque de thérapie complémentaire ou alternative pour soigner leur maladie. Ceci inclut des suppléments diététiques et à base d'herbes médicinales vendus sans ordonnance. En raison de leur popularité grandissante, certains suppléments font l'objet d'un examen critique afin de déterminer leur rôle dans le traitement de la dépression. Nous en saurons davantage sur ces produits dans quelques années, notamment leur efficacité, leur innocuité et la façon dont ils interagissent avec des médicaments sous ordonnance.

En attendant, n'oubliez pas d'en parler à votre médecin avant de prendre un supplément diététique ou à base d'herbes médicinales.

Puisque les produits alternatifs ne sont pas soumis aux mêmes règlements de précommercialisation concernant la sécurité et l'efficacité que les médicaments sous ordonnance, il est impossible de savoir si tel produit a été ou non contaminé pendant sa préparation.

Il est également impossible de savoir si le même produit provenant de fabricants différents est de qualité égale et contient les mêmes quantités d'ingrédients actifs. Même des lots de fabrication séparés d'un produit venant du même fabricant ne sont pas nécessairement de même qualité.

Vous trouverez dans les pages suivantes quelques-uns des suppléments les plus populaires sur le marché ou utilisés pour le traitement de la dépression.

Millepertuis

Le millepertuis est une préparation à base d'herbes médicinales provenant de la plante appelée *hypericum perforatum* ou herbe de Saint-Jean. Longtemps utilisé en tant que remède de bonne femme, on l'emploie actuellement pour soulager l'anxiété, la dépression et les troubles du sommeil. En Amérique du Nord, on le trouve dans les boutiques d'aliments naturels et dans les pharmacies sous forme de tablettes ou de tisane.

Certaines études suggèrent que le millepertuis peut également agir avec efficacité en tant qu'antidépresseur pour une dépression légère à moyenne et avec moins d'effets secondaires. Toutefois, selon un essai clinique d'importance publié dans le *Journal of the American Medical Association* en avril 2001, il s'avérerait inefficace pour soulager une dépression majeure. Les résultats d'une autre étude sur le millepertuis, commanditée par les *National Institutes of Health,* seront bientôt dévoilés.

Cette préparation peut occasionner les effets indésirables suivants : sécheresse de la bouche, étourdissements, troubles digestifs, fatigue, confusion et sensibilité à la lumière solaire. Dans la majorité des cas, il s'agit de réactions légères. La plus grande inquiétude concernant le millepertuis, c'est qu'il nuise à l'efficacité de certains médicaments d'ordonnance, y compris des antidépresseurs, des médicaments pour soigner le virus de l'immunodéficience humaine (VIH) et le SIDA et des médicaments administrés pour empêcher un rejet d'organe chez des personnes qui ont subi des transplantations. Cette préparation peut aussi augmenter les risques de développer un syndrome sérotoninergique si elle est prise conjointement avec un inhibiteur sélectif de la recapture de la sérotonine ou un autre antidépresseur agissant sur la sérotonine.

SAM-e

Le mot SAM-e (prononcé sami) est le diminutif de S-adenosyl méthionine, une substance chimique utilisée en Europe pour soigner la dépression, où elle est disponible comme médicament d'ordonnance. En Amérique du Nord, elle est vendue comme supplément sans ordonnance. La SAM-e est présente dans les cellules humaines et joue un rôle au niveau de plusieurs fonctions de l'organisme. On croit qu'elle contribue à l'augmentation des niveaux de sérotonine et de dopamine, même si cette hypothèse reste à être confirmée par des études de plus grande portée. Des études européennes suggèrent qu'elle agit avec autant d'efficacité que les antidépresseurs standard, mais comporte des effets secondaires moins importants.

Les pilules de SAM-e coûtent cher, particulièrement si on tient compte du fait que leur efficacité n'est pas prouvée. *Consumer Reports* a récemment comparé une douzaine de marques et a découvert que le prix d'une dose quotidienne varie de 1,80 $ à 8,75 $. Cette revue a également constaté que la quantité de S-adenosyl méthionine en tablettes variait. Une trop grande quantité de ce médicament peut être nocive.

Les acides gras Oméga 3

On retrouve les acides gras Oméga 3 dans les huiles de poisson et certaines plantes. Ils font actuellement l'objet d'études en tant que régulateurs de l'humeur pour les personnes souffrant de trouble bipolaire. Certaines études suggèrent que les dépressifs ont des quantités réduites d'un ingrédient actif qu'on retrouve dans les acides gras Oméga 3. Une étude de proportion modeste indique que les acides gras Oméga 3 préviennent les rechutes chez les personnes atteintes de trouble bipolaire.

Des capsules d'huile de poisson contenant des acides gras Oméga 3 sont vendues dans les pharmacies. Ces capsules ont une teneur lipidique et calorique élevée et sont susceptibles d'occasionner des problèmes gastrointestinaux. Consommer des poissons d'eaux froides comme le saumon, le maquereau et le hareng constitue une autre façon d'avoir plus d'acides gras Oméga 3 dans l'organisme.

5-HTP

Le 5-hydroxytrytophan (HTP) est une des matières premières dont le corps a besoin pour produire de la sérotonine. En Europe, ce produit est prescrit pour le traitement de la dépression, alors qu'il est en vente libre en Amérique du Nord.

Les Nord-Américains sont en faveur d'une réglementation plus rigoureuse

Des sondages récents indiquent que les Nord-Américains sont favorables à un contrôle gouvernemental plus rigoureux. La *Harvard School of Public Health* a effectué des sondages d'opinion publique à l'échelle nationale, lesquels ont révélé que la majorité des gens étaient en faveur d'une réglementation qui accorderait à la Fédération américaine des aliments et drogues (FDA) l'autorité de vérifier l'innocuité des suppléments alimentaires avant leur vente et le retrait des magasins des produits présentant un danger. Les participants au sondage ont également mentionné qu'ils aimeraient que les règlements gouvernementaux concernant la publicité sur les suppléments alimentaires soient plus sévères afin d'assurer que les qualités attribuées aux différents produits sont réelles.

En théorie, si vous augmentez le niveau de 5-HTP de votre organisme, vos niveaux de sérotonine devraient également être plus élevés. Une étude de proportion modeste comparait le 5-HTP avec la fluvoxamine, un inhibiteur de la recapture de la sérotonine. Les gens qui ont pris trois doses de 100 milligrammes de 5-htp ont fait part d'un soulagement légèrement plus prononcé que ceux qui ont pris de la fluvoxamine et ont subi moins d'effets secondaires. Il n'existe toutefois pas assez de preuves pour établir que le 5-htp est efficace et sans danger. Il faudra effectuer des études plus importantes.

Dans les années 1980, une grave complication médicale s'est développée chez des gens qui ont pris du 5- htp provenant d'un lot nocif. Plusieurs souffrent de dommages neurologiques permanents et un bon nombre d'entre eux sont décédés. Voilà pourquoi vous devez vous montrer prudents lorsque vous envisagez l'utilisation de suppléments diététiques et à base d'herbes médicinales.

Chapitre 8

Counseling et psychothérapie

B ien avant que des traitements médicaux ne soient mis au point pour la dépression, les gens trouvaient soulagement et réconfort de leurs troubles émotifs en «délestant leur âme», en discutant de leurs problèmes et de leurs craintes. Dans les périodes difficiles, il est naturel de se tourner vers un ami, un membre de la famille, un médecin ou un membre du clergé. Parler avec une personne de confiance afin de soulager la détresse et obtenir un conseil demeure une partie intégrante du traitement de la dépression. Aujourd'hui, ces discussions ont souvent lieu avec un professionnel en santé mentale.

Les termes *counseling et psychothérapie* sont les plus fréquemment utilisés pour décrire cette composante du traitement. Il ne s'agit pas d'expressions spécifiques à un traitement particulier, mais elles font plutôt référence à une aide prodiguée par un professionnel en santé mentale qui combine le dialogue et l'écoute. Cette pratique est également couramment appelée *thérapie par la parole*. Tout comme il existe différents types de médications, il y a plusieurs formes de consultations et de psychothérapies.

Counseling

Counseling est le terme généralement employé lorsqu'il est question d'un conseil donné par un professionnel. Vous pouvez avoir besoin de conseils et d'information pour une foule de domaines : juridique, financier, orientation professionnelle ou conseil sur le plan spirituel.

Les personnes déprimées demandent souvent conseil à divers professionnels, soit des médecins, des professionnels de la santé mentale ou des membres du clergé. La majeure partie de l'information contenue

Le counseling à l'œuvre

Janette, une femme au milieu de la trentaine, consulte son médecin de famille parce qu'elle a de la difficulté à dormir, a perdu l'appétit, a l'estomac fragile et ressent une grande fatigue. Son médecin a effectué un examen médical complet et a conclu qu'elle était en bonne santé physique. Le médecin de Janette croit qu'elle souffre d'une dépression et désire mieux la connaître.

Janette est très croyante. Elle a fait la rencontre d'un homme, en est tombée amoureuse et ils ont uni leurs destinées à l'église. Ils ont élevé leurs deux enfants dans la foi catholique. Toutefois, le mari de Janette lui a confié dernièrement qu'il avait perdu la foi. Janette est atterrée. Embarrassée et confuse, elle se sent abandonnée et ne sait plus quoi faire. Janette raconte à son médecin qu'en plus d'éprouver des problèmes physiques depuis quelques mois, elle se sent triste, a cessé de pratiquer plusieurs activités qu'elle appréciait et a tendance à pleurer souvent.

Le médecin de Janette lui a dit que ses symptômes étaient vraisemblablement dus à la dépression et que celle-ci était reliée à un stress. Il lui a suggéré de rencontrer son pasteur pour lui demander conseil et de revenir le voir dans quelques semaines afin qu'ils puissent discuter de son état.

Suite à quelques séances de counseling avec son pasteur, elle a réalisé que tout n'était pas perdu et que son milieu allait continuer de lui offrir aide et soutien. Janette a commencé à se sentir mieux et ses symptômes à disparaître tranquillement.

dans ce livre, si elle vous a été communiquée par un professionnel peut être considérée comme du counseling.

Bien que les termes *counseling et psychothérapie* soient souvent utilisés de façon interchangeable, le terme psychothérapie indique un processus d'aide de la part d'un professionnel de la santé mentale dont la participation est plus active et l'intervention plus individualisée que l'information générale et les conseils associés au counseling.

Psychothérapie

Psychothérapie peut s'avérer un terme confus et souvent déroutant. Le fait qu'il existe plusieurs sortes de psychothérapie est l'une des raisons de cette confusion. De plus, les gens ont tendance à confondre la psychothérapie et la psychanalyse, un traitement intense, prolongé et dispendieux qui est de moins en moins utilisé de nos jours. Le terme psychothérapie décrit un traitement de la maladie mentale qui implique l'écoute, le dialogue, l'identification des pensées et des émotions et la modification des comportements.

Les techniques de psychothérapie ont évolué au fil du temps et de nombreuses innovations ont permis de rendre la psychothérapie plus accessible, abordable, efficace et rapide.

Au fil des pages suivantes, nous décrirons plusieurs types de psychothérapies pour soulager la dépression. Il est possible de se perdre en lisant sur les différents types de psychothérapie et tenter de comparer ce que vous avez lu avec votre propre expérience ou celle d'un membre de la famille ou un ami. Cela s'explique par le fait que les thérapeutes habiles adaptent souvent leur traitement en fonction des besoins particuliers de chaque individu. Cette pratique nécessite l'intégration d'éléments associés à différentes méthodes afin d'apporter au patient le meilleur soutien possible.

Types de psychothérapie

Pour chacun des types de psychothérapie, vous serez appelé à travailler de très près avec un professionnel de la santé mentale reconnu afin de traiter votre dépression. Toutefois, différents types de psychothérapies ciblent différents objectifs. Quelques-unes visent à vous aider à identifier les pensées et les comportements malsains qui sont à l'origine de votre dépression et à les remplacer par des pensées et des comportements plus sains. Quelques-unes sont conçues de façon à ce que vous puissiez composer avec une crise immédiate, comme le décès d'un être aimé, des problèmes conjugaux ou des ennuis financiers. D'autres formes ont pour but d'explorer le stress sous-jacent, les angoisses et les comportements à problèmes susceptibles de déclencher la dépression.

Certaines études suggèrent que pour le traitement de la dépression, une méthode à court terme et orientée vers un objectif est souvent ce qu'il y a de mieux. La thérapie cognitivo-comportementale et la thérapie interpersonnelle se sont avérées deux types de psychothérapie très efficaces.

Thérapie cognitivo-comportementale

La thérapie cognitivo-comportementale repose sur le principe : « vous êtes ce que vous pensez » ou plutôt ce que vous ressentez est le résultat de ce que vous pensez de vous-même et du déroulement de votre vie.

Comment choisir un thérapeute

Le premier venu peut ouvrir un bureau en tant que « psychothérapeute ». Vous devez donc vous assurer que la personne que vous choisirez est un professionnel de la santé mentale reconnu. Les quatre principaux groupes de professionnels de la santé mentale sont :

- les psychiatres ;
- les psychologues ;
- les infirmières psychiatriques ;
- les travailleurs sociaux.

Ces professionnels détiennent un droit de pratique de leur Ordre professionnel et doivent mettre leurs connaissances et habiletés à jour par l'intermédiaire d'une formation permanente (pour plus d'information sur les types de professionnels de la santé mentale, voir chapitre 4).

Il importe également que vous soyez à l'aise avec votre thérapeute et que vous ayez confiance en ses talents, car vous devrez lui confier des pensées, des sentiments et des craintes intimes. La *National Mental Health Association* recommande d'éviter les professionnels et les organisations qui :

- ne répondent pas à vos questions de façon satisfaisante ;
- promettent des réductions si vous prenez un rendez-vous ou participez à un programme ;
- offrent ou font miroiter une garantie de succès ;
- tentent de vous faire prendre un engagement financier à long terme.

Durant votre première rencontre avec un thérapeute, n'hésitez pas à parler des honoraires, de la durée de la thérapie, de la couverture d'assurance et d'autres aspects pratiques. Vous ne devez pas oublier que certains régimes d'assurance de soins médicaux limitent votre choix de professionnels en soins de santé mentale. Votre régime peut exiger que vous consultiez votre médecin de famille en premier lieu ou de choisir un professionnel de la santé mentale affilié à un réseau spécifique.

Ce type de théorie suggère que les pensées négatives et une vision pessimiste du quotidien contribuent à la dépression. Selon cette théorie, les gens qui vivent une dépression ont souvent :

- une image négative d'eux-mêmes, se voient comme étant sans valeur, inefficaces, en situation de détresse, peu attachants et médiocres ;
- une image négative de leur environnement, qu'ils voient comme accablant, hostile et rempli d'obstacles ;
- une image négative de l'avenir, dénuée d'espoir.

Émettre des suppositions malsaines

Êtes-vous porté à entretenir des pensées négatives ? Émettre de façon chronique des suppositions malsaines peut contribuer à la dépression. La première étape pour se débarrasser de ces schémas de pensées malsains consiste à les reconnaître. Les schémas de pensée négatifs et irrationnels peuvent comprendre :

Catastrophisme. Vous envisagez automatiquement le pire. « J'ai reçu un message me demandant de téléphoner à mon employeur. Je vais être viré. »

Généralisation excessive. Vous voyez un événement troublant comme étant le commencement d'un cycle sans fin : « J'ai un mal de tête, ce matin. Je ne serai probablement pas en mesure de faire ma marche. Ainsi, je prendrai du poids. La semaine sera infernale. »

Personnalisation. Vous interprétez des événements qui ne vous concernent en rien comme si vous en étiez responsable : « Une personne a quitté la réunion plus tôt. Elle a dû me trouver ennuyant. »

Pensée du tout ou rien. Vous n'envisagez les choses que dans des proportions extrêmes, comme blanc ou noir. Il n'y a pas de juste milieu. « Si je n'obtiens pas 100 sur cent à l'examen, je suis un raté. »

Tendance à tout ramener aux émotions. Vous laissez vos sentiments guider votre jugement. « Je me sens stupide et ennuyant, donc je dois l'être. »

Filtrage. Vous faites ressortir les aspects négatifs d'une situation et vous ignorez tous les côtés positifs. « J'ai obtenu une promotion. Je n'aurai pas à travailler les fins de semaine et j'imagine que le salaire sera plus intéressant. Mais que se passera-t-il si je dois changer de service ? Et si je ne m'entends pas avec ces gens-là ? Qu'adviendra-t-il si je dois apprendre un nouveau programme informatique ? »

Qui peut en profiter ?

L'objectif de la thérapie cognitivo-comportementale consiste à remplacer les pensées négatives par des perceptions plus positives et

Thérapie de l'approche cognitivo-comportementale à l'œuvre

Les choses allaient bien pour Tom jusqu'à ce que son employeur annonce qu'il allait mettre à pied 10 pour cent de son personnel au cours des prochains mois. Tous les employés sont sur les dents. Nul ne sait à quel moment il va être congédié. Tom a fait du bon boulot, mais n'a jamais eu confiance en ses moyens. Il est convaincu qu'il sera mis à pied.

Le stress gagne Tom. Il se réveille au milieu de la nuit et ne peut regagner le sommeil. Il perd l'appétit, se sent désespéré et sans ressources devant l'avenir. Son médecin de famille le réfère à un psychologue pour l'aider à gérer sa dépression et son anxiété. « Que puis-je faire ? » demande-t-il au thérapeute. « Je ne sais rien faire d'autre que ce travail. Personne d'autre ne voudra m'employer. De plus, ils ne seront pas intéressés à quelqu'un de mon âge. Mes enfants ne pourront plus aller à l'université et nous allons perdre la maison et l'auto. »

« Pas si vite », de répondre le psychologue. « Il s'agit de préoccupations légitimes, mais dans votre esprit, vous avez déjà perdu votre maison et votre auto avant même de savoir si vous perdrez réellement votre emploi. »

La thérapie cognitivo-comportementale permet à Tom d'identifier ses pensées négatives automatiques et de commencer à identifier et à utiliser plus de façons positives d'évaluer la situation.

réalistes. Vous y parviendrez en apprenant à identifier les réactions dépressives et les pensées qui y sont associées lorsqu'elles se manifesteront, généralement en tenant un journal de vos pensées et de vos réactions. Vous et votre médecin serez alors en mesure de développer des moyens de contrer ces réactions et ces pensées négatives. Cela peut prendre la forme d'un travail à effectuer à domicile, comme lire sur la dépression ou communiquer avec d'autres personnes. Ces exercices vous aideront à apprendre comment remplacer les réactions négatives par des réactions positives. Éventuellement, ce procédé deviendra un automatisme.

La thérapie cognitivo-comportementale est un traitement à court terme qui comporte généralement entre 12 et 16 séances de thérapie. Cette forme de thérapie a fait l'objet d'études exhaustives et des études montrent qu'elle est particulièrement efficace dans le traitement de la dépression légère à moyenne. Une étude importante menée par la *National Institute of Mental Health* comparait trois traitements différents contre la dépression et a révélé que la thérapie cognitivo-comportementale était efficace pour une dépression légère, mais moins que la médication dans le cas d'une dépression grave. Les recherches indiquent également que la thérapie cognitivo-comportementale comporte moins de risques de connaître d'éventuels épisodes dépressifs que les médicaments. Une combinaison des deux méthodes, thérapie et médication, s'avère souvent plus efficace qu'une seule méthode.

Thérapie interpersonnelle

La thérapie interpersonnelle met l'accent sur l'importance des relations interpersonnelles en tant qu'élément essentiel pour comprendre et combattre les signes et les symptômes associés à la dépression. La thérapie interpersonnelle a pour objectif d'améliorer la qualité de vos relations interpersonnelles, votre aptitude à communiquer et rehausser votre image personnelle. Cette thérapie explore généralement quatre domaines :

- le deuil non résolu ;
- les conflits avec d'autres personnes ;
- la transition d'un rôle social ou professionnel à un autre ;
- les difficultés dans les relations interpersonnelles ou sur le plan personnel.

Tout comme pour la thérapie cognitivo-comportementale, la thérapie interpersonnelle est à court terme et comprend généralement de 12 à 16 séances de traitement. Cette thérapie comporte trois phases de traitement. La phase initiale porte principalement sur l'identification des problème. La phase intermédiaire porte sur la façon de composer avec un ou plusieurs des problèmes-clés et leur résolution. La dernière phase porte sur la façon de terminer la thérapie.

Qui peut en profiter ?

La thérapie interpersonnelle peut s'avérer efficace pour réduire les symptômes d'une dépression légère à moyenne, améliorer votre aptitude à établir des relations interpersonnelles et à vous sentir à l'aise en société. Une comparaison entre la thérapie interpersonnelle et le traitement au moyen d'antidépresseurs a révélé que les deux traitements présentaient la même efficacité, même si la médication avait donné des

Thérapie interpersonnelle à l'œuvre

Catherine a quitté son domicile, et du même coup sa famille et quelques bons amis, pour fréquenter le cégep d'une ville où elle ne connaît personne. Elle ne croit pas être capable de se faire de nouveaux amis et ses premiers efforts en ce sens ont échoué. Elle se sent seule, isolée et a des problèmes d'adaptation. Elle manifeste plusieurs symptômes de dépression : elle pleure facilement, a des troubles du sommeil, mange peu et a tendance à se cacher dans sa chambre. De plus, elle n'éprouve plus de plaisir à faire des activités qu'elle appréciait auparavant.

Catherine voit un psychologue au Service d'aide aux étudiants du collège. Celui-ci utilise la thérapie interpersonnelle pour aider Catherine à vivre cette transition, à développer des aptitudes à socialiser et à rehausser son image personnelle. Au bout de plusieurs semaines, les symptômes de Catherine ont commencé à diminuer.

résultats plus rapides. Une combinaison de la thérapie et de la médication s'avère souvent plus efficace que lorsque les deux traitements sont utilisés séparément. Une étude comparative a révélé qu'un an après le traitement, les gens qui avaient suivi la thérapie interpersonnelle et pris la médication se portaient mieux que ceux qui n'avaient pris que la médication.

Autres formes de psychothérapie

Bon nombre de personnes souffrant de dépression trouvent que ce sont les séances individuelles avec leur thérapeute qui leur sont les plus profitables, alors que certains préfèrent les thérapies de groupe. D'autres personnes trouvent que les séances de thérapie où leur conjoint, leur partenaire ou leur famille participe sont fort utiles. La thérapie de groupe, de couple ou de famille repose sur des stratégies de thérapie cognitivo-comportementale, des techniques de relations interpersonnelles, une combinaison de celles-ci ou d'autres thérapies.

Thérapie de groupe

La thérapie de groupe implique un groupe de personnes qui ne se connaissent pas et un ou plusieurs professionnels de la santé mentale qui aident à faciliter la thérapie. Il ne s'agit pas de la même chose qu'un groupe de soutien, qui peut être dirigé par des pairs ou des profanes, plutôt que par des professionnels. La thérapie de groupe vise les mêmes objectifs que la thérapie individuelle, mais s'appuie sur les conseils, la rétroaction et le soutien des autres participants sur la façon de composer avec ses problèmes et de faire en sorte de les éliminer.

Certains groupes sont conçus pour des gens ayant des préoccupations communes, comme la dépression, la violence familiale, la toxicomanie ou le jeu compulsif, alors que d'autres groupes sont composés de cas différents. Quoi qu'il en soit, le thérapeute et les membres du groupe jouent un rôle essentiel en permettant à chacun des participants de délaisser l'aspect conflictuel pour se livrer à une introspection. Il arrive souvent qu'un membre d'un groupe découvre que son expérience passée peut aider un autre membre.

Les séances de groupe ont lieu dans un cabinet privé, un centre de psychiatrie communautaire, un hôpital ou un autre environnement professionnel. En général, les gens qui profitent le plus de la thérapie de groupe sont ceux qui acceptent de partager leurs expériences, leur pensées et leurs sentiments personnels avec les autres membres du groupe et qui sont prêts à écouter les autres exprimer leurs craintes et leurs frustrations plutôt que de se concentrer uniquement sur leurs propres problèmes.

Thérapie de couple et de famille

La thérapie de couple et de famille peut s'avérer précieuse pour aider des conjoints, des partenaires et des familles à travailler ensemble pour surmonter la dépression et d'autres troubles mentaux associés à la dépression. Au lieu de se concentrer sur l'individu, la thérapie de couple et de famille est axée sur l'ensemble formé par le couple ou la famille, l'interaction au sein du couple ou entre les membres d'une même famille.

Un couple ou une famille peut décider de suivre une thérapie ensemble lorsque de graves problèmes nuisent au fonctionnement normal du couple ou de la cellule familiale ou qu'une thérapie individuelle s'avère inefficace. Chez les couples, on retrouve fréquemment des problèmes comme des difficultés de communication, des problèmes sexuels et une incompatibilité au niveau des attentes, qu'une thérapie peut aider à solutionner. Ce type de thérapie vise à résoudre les problèmes le plus rapidement et le plus efficacement possible. Environ deux tiers des couples qui ont recours à cette thérapie voient leur relation s'améliorer.

Quelle est la durée d'une psychothérapie ?

Selon la gravité de votre dépression et le type de thérapie pour lequel vous optez, la psychothérapie peut durer le temps de quelques séances ou s'échelonner sur plusieurs mois. De façon générale, plus la dépression est grave ou compliquée, plus la période du traitement sera longue.

Pour la plupart des gens, la thérapie à court terme s'avère efficace dans le traitement d'une dépression légère ou moyenne. Une étude nationale à grande échelle a révélé que la moitié des participants ont fait montre d'une amélioration importante après huit séances de thérapie et que les trois-quarts des participants ont vu leur situation s'améliorer après 6 mois. Une seule séance de thérapie suffit parfois à instaurer la confiance ou l'introspection nécessaire pour surmonter la dépression. Une fois que vos séances de thérapie seront terminées, votre médecin ou thérapeute pourrait vous demander de retourner le voir de façon périodique afin de discuter de votre état.

La thérapie à long terme, parfois appelée thérapie d'introspection, psychodynamique ou de soutien dure généralement plus de 6 mois et peut se poursuivre pendant plusieurs années. Ce type de thérapie vise moins à soulager la dépression qu'à identifier et à modifier les types de comportement susceptibles d'augmenter les risques de dépression. Ainsi, un jeune homme qui se sent mieux après avoir suivi un traitement pour une troisième dépression en 5 ans a associé le début de chacune de ses périodes dépressives à des relations affectives qui se sont terminées de façon désagréable parce qu'il était incapable d'un engagement sérieux. En suivant une thérapie à long terme, il espère être en mesure de mieux comprendre les raisons pour lesquelles il lui est difficile de s'engager dans une relation affective et modifier son comportement pour éviter que ces situations se reproduisent.

Les gens qui profitent généralement le plus d'une thérapie à long terme sont ceux dont la dépression est accompagnée d'une autre maladie mentale comme un trouble anxieux, un trouble alimentaire, de toxicomanie, de trouble de la personnalité ou des comportements persistants, pénibles et coûteux.

Comment la psychothérapie fonctionne-t-elle ?

À long terme, la psychothérapie peut procurer de nombreux avantages et jouer un rôle important dans le traitement d'une dépression légère à modérée. Elle peut vous aider à mieux vous comprendre, à vous doter d'aptitudes pour résoudre les problèmes, à vous enseigner des façons efficaces de composer avec les événements marquants de la vie et vous aider à reconnaître et à exprimer des émotions intenses. La psychothérapie peut également s'avérer efficace pour traiter des gens souffrant d'une dépression légère à modérée qui ne veulent pas prendre d'antidépresseurs ou sont incapables d'en tolérer les effets secondaires. Il arrive souvent que la médication et la psychothérapie soient combinées.

Si on ignore toujours de quelle façon la psychothérapie soulage la dépression, c'est en partie parce que différents types de psychothérapie agissent de différentes façons. Les professionnels de la santé mentale croient que la psychothérapie agit sur la dépression de plusieurs façons:

- Se renseigner sur la dépression et ce que vous pouvez faire pour la traiter procure un sentiment d'assurance. En travaillant de façon active avec un professionnel de la santé mentale pour gérer votre dépression, vous acquérez également un sentiment de maîtrise, la conviction que vous êtes en contrôle et que vous pouvez guérir.

- Substituer des pensées plus saines et positives à des pensées, des attitudes et des comportements négatifs peut jouer un rôle de premier plan pour mieux gérer ou réduire le stress. Ces changements positifs peuvent également se traduire par une amélioration des relations avec autrui et permettre de se sentir mieux dans sa peau.

- Exprimer vos sentiments dans le cadre d'une relation thérapeutique, de soutien, peut s'avérer positif. Certaines personnes disent qu'elles se libèrent ainsi de leur stress. Discuter des émotions dans un environnement approprié peut également favoriser l'introspection, libérer les émotions négatives et permettre le changement.

- La recherche sur l'imagerie du cerveau montre que la thérapie cognitivo-comportementale peut occasionner des changements au niveau de l'activité cérébrale dans des régions associées à la dépression. On ignore si ces changements sont la conséquence d'une réduction, d'une meilleure gestion du stress ou s'il s'agit du résultat de la thérapie. Les études soutiennent toutefois fortement le lien étroit entre l'état d'esprit et l'activité cérébrale.

Comment assurer
le succès d'une psychothérapie

La psychothérapie ne sera fonctionnelle que si vous et votre thérapeute êtes tous deux décidés à obtenir un résultat positif. La compétence du

Le sentiment d'être « coincé »

Durant une psychothérapie, vous pourriez vous demander si le traitement vous aide réellement. N'oubliez pas que le fait d'éprouver des sentiments négatifs à l'égard de la psychothérapie ne signifie pas qu'elle soit inefficace. Être confronté à des questions difficiles s'avère parfois affolant et accablant et il est normal de manifester de la résistance et d'éprouver de la colère dans le cadre de ce processus.

Si vous êtes préoccupé par un aspect particulier de votre thérapie, parlez-en à votre thérapeute. Vous avez peut-être l'impression que votre thérapeute n'est pas en mesure de comprendre vos craintes et vos frustrations ou vous éprouvez des difficultés à communiquer avec cette personne. Vous pourriez également être mal à l'aise avec le langage corporel ou le comportement de votre thérapeute. Ce sont là des questions importantes qui méritent d'être discutées.

Si vous n'êtes pas satisfait de la réponse de votre thérapeute, que vous continuez à vous sentir mal à l'aise ou qu'il n'y a aucun signe d'amélioration après une période de quelques semaines à quelques mois, vous aurez vraisemblablement envie de consulter un autre spécialiste.

thérapeute est importante, certes, mais vous devez également y mettre de la bonne volonté par votre attitude, vos attentes et votre participation. Si vous entreprenez la thérapie en croyant que « personne ne peut vous aider », vos chances de succès seront considérablement réduites.

Au cours des séances de thérapie, il est important d'être honnête, d'être prêt à faire face à des vérités parfois douloureuses, à composer avec des sentiments désagréables, à s'ouvrir à de nouvelles façons de voir et de faire les choses. En revanche, le thérapeute vous écoutera attentivement, éclaircira, interprétera et vous aidera à vous orienter vers des comportements plus sains. Ce processus exige un respect mutuel et de la confidentialité.

Chapitre 9

Électroconvulsivo-thérapie et autres thérapies biomédicales

I l arrive que les antidépresseurs et la psychothérapie s'avèrent inefficaces, ou inappropriés, selon l'état de santé du patient. Heureusement, il existe d'autres options. Le présent chapitre s'intéresse à deux autres formes de traitement contre la dépression, soit le traitement par électroconvulsivo-thérapie et la photothérapie. Nous aborderons également d'autres thérapies qui font l'objet d'études et qui pourraient éventuellement être appliquées.

Électroconvulsivo-thérapie (électrochocs)

Pour bon nombre de personnes, l'expression électrochocs évoque des images du film *Vol au-dessus d'un nid de coucou*, tiré d'un roman du même nom. Toutefois, ce film et d'autres du même genre représentent des images dépassées de cette méthode de traitement de la dépression. De nombreuses études indiquent que le traitement par les électrochocs est sécuritaire et efficace, mais il demeure controversé en raison du mauvais usage qu'on en a fait au début et du portrait négatif qu'en tirent parfois les médias. En réalité, le traitement par les électrochocs est l'une des méthodes les plus spectaculaires et efficaces dont dispose la médecine moderne pour traiter une dépression grave.

Un peu d'histoire

Les origines du traitement ECT remontent au début des années 1930, lorsque les scientifiques ont senti qu'ils pouvaient soigner les maladies mentales en provoquant des crises d'épilepsie. Pour soigner la dépression et d'autres troubles mentaux, les chercheurs ont injecté à quelques personnes des substances chimiques provoquant des crises d'épilepsie. Cette méthode s'est avérée hautement efficace chez certaines personnes, mais plusieurs ont trouvé les crises terrifiantes. L'utilisation de substances chimiques s'est également avérée peu fiable.

En avril 1938, deux chercheurs italiens ont innové de belle façon en utilisant un courant électrique plutôt que des substances chimiques pour provoquer une crise chez une personne atteinte de maladie mentale. Un homme qui était en proie à des hallucinations et au délire a été complètement guéri après 11 séances d'électrochocs. Ce succès a fait en sorte que les électrochocs ont été de plus en plus utilisés dans le traitement des maladies mentales, y compris la dépression.

Les perceptions erronées concernant le traitement ECT, voulant qu'il soit douloureux et franchement dangereux, découlent des comptes-rendus des premières expériences du traitement. En Amérique du Nord, les médecins ont commencé à utiliser cette méthode en 1940. À cette époque, le traitement était administré sans anesthésie ou relaxants musculaires. Le patient était pleinement conscient et le personnel de l'hôpital se chargeait d'immobiliser ses épaules, ses bras et ses jambes durant la crise. De plus, les médecins utilisaient un courant électrique plus puissant qu'aujourd'hui pour déclencher la crise, avec pour résultat que les effets secondaires et les complications s'avéraient parfois graves.

Fonctionnement de l'électroconvulsivo-thérapie

Aujourd'hui, le traitement par électroconvulsivo-thérapie est une méthode raffinée, de plus en plus utilisée en clinique externe, et dans un environnement semblable à celui où sont effectuées les interventions chirurgicales mineures. La durée totale sous anesthésie est d'environ 10 minutes, en plus d'une période additionnelle de 30 à 45 minutes en salle de réveil. L'équipe médicale comprend généralement un psychiatre, une infirmière et un anesthésiste.

À l'image des grands centres hospitaliers, la Clinique Mayo effectue le traitement de la façon suivante : l'équipe procède d'abord à un examen préopératoire et pose une série de questions au patient afin d'assurer qu'il est prêt à recevoir le traitement. Celui-ci est alors transporté dans la salle de traitement où la procédure est mise en œuvre. Le médecin installe sur la tête du patient, allongé, de petites électrodes de la grosseur d'une pièce de monnaie.

Pendant que les électrodes sont mises en place, vous recevez des injections intraveineuses d'un anesthésique à action brève afin de vous endormir et un relaxant musculaire afin de prévenir le tremblement susceptible de se produire durant la crise. Pendant que l'anesthésique commence à agir, un masque d'oxygène est placé sur votre bouche afin de vous aider à respirer. D'autres médicaments peuvent être administrés par voie intraveineuse, selon votre état de santé. Des brassards de sphygmomanomètre sont placés autour d'un bras et d'une cheville.

Pendant que vous êtes sous l'effet de l'anesthésique et que vos muscles sont détendus, le médecin presse un bouton sur l'appareil à électrochocs. Ceci déclenche un petit courant électrique qui passe à travers les électrodes reliées à votre cerveau, produisant une crise durant environ de 30 à 60 secondes. L'effet combiné de l'anesthésique et du relaxant musculaire fait en sorte que vous demeurez détendu et que vous ne vous rendez pas compte de la crise. Le mouvement rythmique d'un pied ou d'une main pourrait s'avérer la seule indication que vous subissez une crise. Lorsqu'un brassard de sphygmomanomètre est placé autour d'une cheville ou d'un avant-bras et gonflé, il empêche le relaxant musculaire de paralyser temporairement les muscles du pied ou de la main correspondant. Durant une crise, un tremblement du pied ou de la main est une confirmation de la crise.

Durant la crise, votre rythme cardiaque, votre pression artérielle et votre consommation d'oxygène sont surveillés de près. Un électro-encéphalogramme enregistre l'activité électrique cérébrale de la même façon qu'un électrocardiogramme mesure l'activité cardiaque. Un accroissement soudain d'activité annonce le début de la crise et le ralentissement du tracé de votre encéphalogramme en indique la fin. Les effets de l'anesthésique et du relaxant musculaire commencent à s'estomper quelques minutes après la crise et vous êtes déplacé vers une salle de réveil où vous serez surveillé par une infirmière. Au réveil, vous pourriez vivre une période de confusion d'une durée de quelques minutes à quelques heures ou davantage.

Traitement par électroconvulsivo-thérapie et fonctionnement du cerveau

Personne ne sait avec certitude comment le traitement par les électro-chocs aide à guérir la dépression. On sait toutefois que de nombreux éléments chimiques du fonctionnement du cerveau sont modifiés pendant et après la crise. Les chercheurs ont élaboré une théorie voulant que lorsque le traitement ECT est administré sur une base régulière, ces modifications chimiques s'accumulent, réduisant d'une quelconque façon la dépression.

Électroconvulsivo-thérapie : la procédure

Une séance d'électrochocs dure généralement entre 1 et 2 heures à partir de votre arrivée à l'hôpital jusqu'à votre retour à la maison ou dans votre chambre d'hôpital. Pour vous aider à visualiser le déroulement du traitement, voici quelques images représentant un patient recevant un traitement d'ECT à la clinique Mayo.

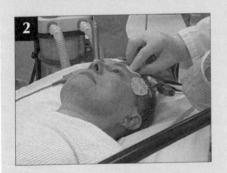

Après avoir rencontré le personnel de l'équipe médicale qui s'assurera que vous êtes prêt à subir le traitement, vous devrez vous allonger sur une civière roulante et on vous transportera vers la salle de traitement.

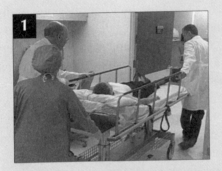

Une fois dans la salle, un médecin placera des coussinets avec électrodes sur votre tête. Ces électrodes sont branchés à la machine de traitement par les électrochocs. Le médecin placera également sur votre tête d'autres coussinets qui serviront à surveiller l'activité cérébrale.

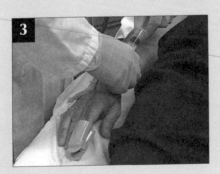

Vous recevrez deux types de médication, soit un anesthésique et un relaxant musculaire par voie intraveineuse (IV) dans l'avant-bras.

Lorsque les électrodes sont en place et que la médication a commencé à agir, un médecin presse un bouton sur la machine ECT, faisant passer une quantité précise de courant électrique de la machine à travers les électrodes et vers le cerveau.

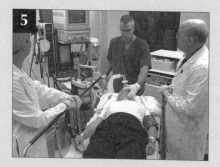

Ce courant électrique provoque une crise convulsive qui dure généralement de 30 à 60 secondes. Durant la crise convulsive, le personnel médical surveille vos signes vitaux.

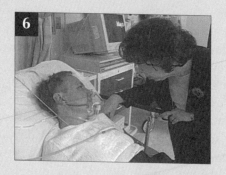

Une fois la crise convulsive terminée, la procédure est finie. Les coussinets sont retirés et vous êtes transporté vers la salle de réveil où une infirmière s'occupera de vous jusqu'à votre réveil.

Lorsque vous vous sentirez suffisamment bien, un membre de votre famille ou un ami pourra vous ramener à la maison ou à votre chambre d'hôpital. Une infirmière discutera avec vous des précautions à prendre jusqu'à ce que les effets des médicaments cessent.

La plupart des gens qui reçoivent des électrochocs ont de 6 à 12 traitements sur une période de plusieurs semaines. Le traitement est généralement administré deux ou trois fois par semaine.

Dès que les symptômes auront été soulagés, vous aurez besoin d'une forme de traitement continu pour éviter une rechute. Il est possible qu'on vous prescrive un antidépresseur après vos traitements ECT ou vous pourriez continuer à recevoir des traitements à une fréquence moindre. C'est ce qu'on appelle un traitement de consolidation. Avec ce genre de traitement, les séances pourraient être réduites à une fois par semaine, puis aux deux semaines et graduellement à une séance mensuelle pendant une période de plusieurs mois. Certaines personnes reçoivent des traitements ECT de façon périodique pendant un an ou plus.

Le traitement ECT est efficace chez environ 80 pour cent des gens qui reçoivent le traitement complet. Ses effets ne sont généralement pas immédiats, mais ce traitement agit habituellement plus vite que la médication. Beaucoup de gens ont constaté une amélioration de leurs symptômes après deux ou trois traitements et ils sont habituellement satisfaits des résultats.

Êtes-vous un candidat?

Votre médecin pourrait vous recommander le traitement ECT **si vous avez besoin d'un traitement pour soulager rapidement des symptômes graves.** Vos symptômes sont peut-être suffisamment graves pour que vous ou votre médecin redoutiez les tentatives de suicide. Dans certains cas de dépression grave, les gens refusent de manger et de boire au point de mettre leur santé en danger. Il arrive parfois que des personnes aux prises avec de graves dépressions soient en proie au délire et à des hallucinations, ce qui peut causer une grande souffrance et faire en sorte qu'ils risquent de se blesser eux-mêmes ou de blesser quelqu'un d'autre. Dans de tels cas, il faut agir rapidement, ce que les antidépresseurs ne permettent pas.

Aucune amélioration avec les autres traitements. Lorsque vous avez essayé la psychothérapie et au moins deux antidépresseurs sans résultat valable, le traitement ECT s'avère souvent la meilleure solution.

Vous ne pouvez tolérer les effets secondaires des antidépresseurs. Certaines personnes sont extrêmement sensibles aux antidépresseurs et subissent des effets secondaires importants, même avec de très petites doses.

« Un traitement qui fonctionne bien »

« Les traitements utilisés pour soulager ma dépression, tant les médicaments que la thérapie n'étaient pas efficaces. On a donc recommandé l'utilisation du traitement ECT. Ils ont d'abord commencé à me donner un traitement tous les deux jours, soit trois fois par semaine, le lundi, le mercredi et le vendredi. Au début, je ne me sentais pas beaucoup mieux, mais au bout d'environ une semaine, une semaine et demie, j'ai commencé à sentir une amélioration appréciable. La première amélioration fut de recommencer à dormir la nuit, car j'éprouvais des problèmes de sommeil lorsque j'étais déprimé. Ensuite, l'énergie est revenue, puis je suis un traitement de consolidation ECT à raison d'une fois aux deux semaines, et les choses vont bien. »
Johanne
Pointe-aux-Trembles, Québec

N'a pas réagi favorablement aux autres traitements lors d'une précédente dépression. Il semble inutile de vouloir poursuivre un traitement que vous savez inefficace.

Le traitement ECT s'est déjà avéré bénéfique dans le passé. Il serait logique de persévérer dans cette voie.

Avant le traitement

Comme pour toute procédure qui nécessite une anesthésie, vous devrez vous soumettre à une évaluation médicale avant le premier traitement pour vous assurer que vous n'avez pas un problème de santé susceptible de vous empêcher d'être anesthésié ou de recevoir le traitement. Cette évaluation comprend généralement :

- histoire de cas ;
- examen physique ;
- analyses sanguines de base ;
- électrocardiogramme pour vérifier la présence d'une maladie cardiaque.

Il vous faudra donner votre consentement écrit avant de recevoir un traitement ECT. Le consentement écrit veut dire qu'on vous expliquera la procédure et que vous comprendrez ses avantages et ses risques et que vous autorisez le personnel médical à vous soumettre à cette procédure. Vous pouvez retirer votre consentement à toute étape du traitement. Si vous n'êtes pas en mesure de donner votre consentement, votre médecin devra se conformer aux lois provinciales qui indiquent dans quelles circonstances vous devez recevoir un traitement ECT. Il faut alors obtenir une forme de consentement, soit d'un membre de la famille ou d'un mandataire autorisé par la loi. Toutefois, les lois diffèrent quelque peu d'une province à l'autre.

Le pour et le contre

Le traitement ECT a pour principale vertu d'être souvent efficace là où les autres traitements ont échoué. Il a également tendance à agir plus rapidement que la médication ou la psychothérapie. Cependant, le traitement ECT comporte des effets secondaires potentiels, dont voici les principaux :

Troubles de la mémoire. Vous pourriez vivre une période de confusion immédiatement après avoir suivi un traitement ECT, ignorer l'endroit où vous êtes et la raison de votre présence. Cet état dure généralement de quelques minutes à plusieurs heures et se prolonge à chacun des traitements successifs. La confusion dure parfois plusieurs jours. Une fois le traitement terminé, la confusion cesse.

« Je considère qu'il s'agit d'une forme d'équilibre »

Durant les traitements, je n'ai jamais oublié qui j'étais, où je vivais, l'âge de mes enfants, bref, ce genre de choses. Je n'ai jamais oublié le genre de travail et les tâches que j'exerçais. La perte de mémoire est davantage associée à des voyages dont je ne me souviens plus. Ainsi, un de mes enfants pourrait me téléphoner et me demander : « Te souviens-tu de notre visite à Pâques ? » et je n'en aurais plus aucun souvenir.

Lorsque je suis déprimée et incapable de fonctionner ou de travailler, je ne puis apprécier l'existence. C'est comme si on me volait mon identité. Le traitement ECT me la rend et je me sens en santé et bien dans ma peau. Je qualifie de mineur son effet secondaire, qui consiste en une légère perte de mémoire, particulièrement avec le traitement de consolidation. Je trouve que ça vaut le coup et qu'il s'agit d'une forme d'équilibre. En pesant le pour et le contre, je préfère cette légère perte de mémoire, car je me sens bien et je suis en mesure de fonctionner et de recommencer à vivre normalement.

Johanne
Longueuil, Québec.

De nouveaux souvenirs qui se sont formés durant votre traitement pourraient également être perdus. Ainsi, vous pourriez éprouver des problèmes à vous souvenir de discussions avec d'autres personnes durant cette période. Ce type d'amnésie devrait également cesser une fois que les traitements prennent fin.

Finalement, l'autre type de trouble de la mémoire occasionné par le traitement ECT est associé à la mémoire à long terme. La plupart du temps, le traitement ECT affecte les souvenirs emmagasinés juste avant ou durant le traitement. Dans quelques rares cas, les gens ont de la difficulté à se souvenir d'événements s'étant produit plusieurs années auparavant. Ces souvenirs à long terme sont susceptibles de revenir après la fin des traitements ECT, mais sont parfois définitivement oubliés.

Complications médicales. Comme toute procédure médicale, surtout celles qui nécessitent l'usage d'un anesthésique, celle-ci présente des risques de complications. L'évaluation médicale précédant le traitement ECT aide à identifier les troubles médicaux susceptibles de représenter un risque élevé de complications, ce qui permet aux médecins de prendre les précautions nécessaires pour diminuer ces risques.

Malaises corporels. Les jours où vous recevrez le traitement ECT, vous pourriez éprouver des nausées, des maux de tête, des douleurs musculaires ou des douleurs à la mâchoire. Ces maux sont fréquents et faciles à soulager avec des médicaments. Ils peuvent être désagréables, mais ne sont pas graves.

Rechute. À défaut d'une forme quelconque de traitement continu suite à un traitement ECT réussi, environ 90 pour cent des gens subissent une rechute de dépression en l'espace d'un an. Il est important que vous receviez un traitement continu avec un antidépresseur ou un traitement de consolidation ECT afin de réduire les risques de rechute.

Photothérapie

Les personnes souffrant de dépression saisonnière vivent généralement une dépression durant la période la plus sombre de l'année, lorsque l'ensoleillement est limité. Les symptômes peuvent comprendre des sentiments de tristesse, une perte d'énergie et des troubles du sommeil. Ces symptômes disparaissent au fur et à mesure que les journées s'allongent et que la lumière solaire gagne en rayonnement. La photothérapie est un traitement fréquemment utilisé pour combattre ce type de dépression. La photothérapie est utilisée depuis le début des années 1980 et comporte de nombreux bienfaits. Elle est facile à administrer, ne comporte généralement pas d'effets secondaires importants et est rentable.

Un peu de lumière

La photothérapie consiste à exposer le patient à une lumière intense dans des conditions particulières. Le système d'éclairage le plus souvent employé avec la photothérapie consiste en une boîte que vous installez sur une table ou sur le dessus d'un bureau. Cette boîte contient un ensemble d'ampoules fluorescentes et un écran de diffusion. Cet écran permet de bloquer les rayons ultraviolets, susceptibles d'occasionner des cataractes et des dermatoses.

Pour ce traitement, vous devez vous asseoir près de la boîte contenant les lumières, avec les lumières allumées et les yeux ouverts. Vous ne devez pas regarder directement la lumière, mais votre tête et votre corps doivent être placés de façon à ce que la lumière puisse pénétrer dans vos yeux. Vous devez vous asseoir près de la boîte pendant une période variant de 15 minutes à 2 heures, une fois par jour, habituellement le matin. Des études comparant l'utilisation de la photothérapie en matinée et en soirée ont révélé qu'une exposition à la lumière vive s'avère généralement plus efficace le matin. Toutefois, selon vos besoins et le système d'éclairage dont vous disposez, votre photothérapie pourrait être divisée en séances séparées. Beaucoup de gens lisent, écrivent ou déjeunent tout en suivant cette thérapie.

Les chercheurs croient que l'entrée de lumière vive dans les yeux ne se contente pas d'alerter la région du cerveau qui contrôle l'horloge biologique, mais provoque également d'autres effets psychologiques positifs. Des études indiquent que la circulation sanguine de l'hormone mélatonine est réduite lorsque les yeux sont exposés à une lumière vive. La mélatonine est produite durant la noirceur et aide à contrôler les rythmes internes (horloge interne) de la température corporelle, des sécrétions hormonales et du sommeil. Selon la période de la journée pendant laquelle vous recevrez un traitement de photothérapie, votre horloge interne avancera ou sera retardée.

La photothérapie pour dépression saisonnière implique la nécessité de s'asseoir chaque jour près d'une lumière vive pour une période d'une durée déterminée. Vous ne devez pas fixer cette lumière, mais elle doit pénétrer vos yeux.

Les chercheurs ont également une théorie voulant que la photothérapie exerce des effets semblables aux antidépresseurs chez les gens atteints de dépression saisonnière, modifiant l'activité des neurotransmetteurs dans certaines régions du cerveau. Les scientifiques étudient les effets de la lumière vive sur la production de deux neuro-transmetteurs, soit la sérotonine et la dopamine. L'idée d'utiliser la lumière pour traiter la dépression provient de la recherche sur le comportement des animaux et de l'influence des saisons sur eux. Les changements dans les habitudes de sommeil, d'alimentation et de comportement semblent tous parfaitement adaptés à chacune des espèces en fonction de la durée du jour, peu importe dans quelles régions elles vivent.

Une lumière, oui, mais pas n'importe laquelle

Le simple fait de vous asseoir face à une lumière dans votre maison ne vous permettra pas d'éliminer les symptômes de la dépression saison-nière. L'éclairage intérieur ne fournit pas le type de lumière et l'intensité lumineuse nécessaires pour soigner cette maladie. Les boîtes lumineu-ses utilisées spécialement pour le traitement de la dépression saison-nière produisent une lumière comparable à la lumière extérieure après le lever du soleil ou tout juste avant le coucher de soleil, soit une inten-sité au moins cinq fois supérieure à un éclairage intérieur ordinaire. Le niveau d'intensité lumineuse recommandé pour la photothérapie dans le cas de la dépression saisonnière atteint souvent entre 2 500 et 10 000 lux (une mesure de lumière).

L'équipement d'éclairage utilisé pour la photothérapie peut être ache-té en magasin, mais il est préférable de demander l'avis de votre médecin avant de faire l'acquisition de cet équipement et de ne l'utiliser que sous surveillance médicale afin d'éviter les complications. La photothérapie doit faire l'objet d'une surveillance par un professionnel afin d'obtenir le meilleur résultat clinique possible avec un minimum d'effets secondai-res. Il est également possible que le traitement ne fonctionne pas et que les symptômes de la dépression saisonnière s'aggravent.

Un traitement efficace

La photothérapie réduit les symptômes chez les trois quarts des gens souffrant de dépression saisonnière. Il arrive souvent que les gens com-mencent à se sentir mieux en l'espace de 4 ou 5 jours seulement. La plupart des gens suivent un programme quotidien régulier de photothé-rapie, commençant à l'automne ou en hiver dans les latitudes nord et se poursuivant jusqu'au printemps lorsque la lumière extérieure est suffisante pour maintenir une bonne humeur et un niveau d'énergie élevé. Si la photothérapie est interrompue pendant les mois d'hiver ou qu'elle est abandonnée trop rapidement, les personnes souffrant de dépression saisonnière connaissent fréquemment une récurrence des symptômes dépressifs, et souvent en moins d'une semaine.

Les effets secondaires sont rares et surviennent généralement lorsque la photothérapie est suivie en soirée. La plupart des gens subissent de l'irritabilité, une fatigue oculaire, des maux de tête ou font de l'insomnie. Ces problèmes sont généralement solutionnés en changeant l'heure ou la durée du traitement.

Dans certains cas, il est recommandé de combiner une photothérapie légère avec un antidépresseur. Lorsque la photothérapie ne s'avère pas efficace, un antidépresseur, pris seul, s'avère souvent la meilleure alternative. Les personnes souffrant de dépression saisonnière et qui ne veulent pas consacrer une période minimale de 15 minutes à la photothérapie légère se voient souvent prescrire des antidépresseurs. Les antidépresseurs sont habituellement efficaces, mais peuvent occasionner un plus grand nombre d'effets secondaires.

Thérapies potentielles : SMT et SNV

Les chercheurs continuent d'effectuer des recherches en vue de découvrir de nouveaux traitements contre la dépression. Ils sont en quête de traitements plus efficaces ou qui comportent moins d'effets secondaires que les méthodes actuellement en usage. Les deux traitements décrits ci-après font actuellement l'objet de recherches.

Stimulation magnétique transcrânienne

Sur certains points, la stimulation magnétique transcrânienne (SMT) est semblable à la thérapie ECT. Dans le cas de la SMT, le courant électrique passe à travers une bobine de fils électriques, située à l'intérieur d'un appareil portatif. Le courant électrique produit une puissante impulsion magnétique qui passe à travers votre cuir chevelu et votre crâne lorsque vous tenez l'appareil près de votre tête. L'impulsion magnétique stimule les cellules nerveuses situées dans le cerveau.

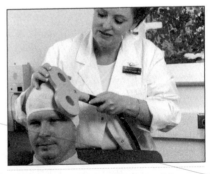

Durant la stimulation magnétique transcrânienne, un appareil émettant une puissante impulsion magnétique est tenu près de votre cuir chevelu. Cette énergie magnétique traverse votre crâne et stimule les cellules nerveuses de votre cerveau.

Cette procédure prend généralement 20 à 30 minutes, période durant laquelle vous êtes conscient(e). Contrairement au traitement ECT, l'anesthésie n'est pas nécessaire, car votre cerveau ne reçoit pas directement de stimulation électrique et la procédure ne provoque pas intentionnellement de crise épileptique. Cependant, une crise peut se produire à l'occasion. Le traitement SMT présente également un avantage appréciable, car il ne cause pas de problèmes de la mémoire ou de la pensée.

Des études indiquent qu'une stimulation magnétique du cerveau une fois par jour pendant 2 semaines ou plus peut contribuer à soulager les symptômes dépressifs chez des gens qui n'ont pas réagi favorablement à d'autres formes de traitement. Le traitement SMT est encore vu comme une méthode expérimentale, mais à ce jour, il a démontré sécurité et efficacité. Ce traitement n'est pas recommandé aux personnes qui ont des appareils métalliques implantés comme un stimulateur cardiaque, car les impulsions magnétiques pourraient nuire au fonctionnement de l'appareil.

Plusieurs questions doivent encore être réglées avant que le traitement SMT ne devienne largement accepté et facilement accessible pour le traitement de la dépression. Si les résultats des recherches s'avèrent positifs, il est possible que d'ici 5 à 10 ans, le système SMT devienne une forme de traitement courante pour les personnes souffrant de dépression grave.

Stimulation du nerf vague

Le nerf vague est un nerf important qui relie votre tronc cérébral et les organes de votre poitrine et de votre abdomen, c'est-à-dire le coeur, les poumons et les intestins. Ce nerf part de votre abdomen et de votre poitrine, passe à travers le cou et à l'intérieur du tronc cérébral par une minuscule ouverture à l'intérieur de votre crâne. C'est une voie importante par laquelle l'information circule à partir et en direction de votre système nerveux central.

La stimulation du nerf vague (SNV) nécessite une intervention chirurgicale, durant laquelle un petit générateur d'impulsion électrique d'un format semblable à une montre de poche, semblable à un stimulateur cardiaque, est placé dans la partie

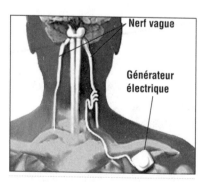

Un stimulateur du nerf vague fournit de façon intermittente de petites impulsions électriques au nerf vague. Il est actuellement employé pour soigner l'épilepsie et on étudie la possibilité de l'utiliser pour le traitement de la dépression.

supérieure gauche de votre poitrine. De petits fils sont fixés sous votre peau jusqu'à votre cou, où ils sont enroulés autour du nerf vague. Ce générateur est programmé pour fournir de petites impulsions au nerf vague à quelques minutes d'intervalle.

La stimulation du nerf vague a été développée à l'origine pour traiter les individus souffrant d'épilepsie dont les crises persistaient malgré l'usage de médicaments. Les chercheurs ont commencé à étudier son utilisation dans le traitement de la dépression après avoir

Qu'en est-il de l'acupuncture ?

L'acupuncture n'est certes pas une nouvelle forme de traitement médical. En fait, il s'agit de l'une des plus anciennes, d'abord pratiquée par des guérisseurs chinois de l'Antiquité. Cependant, il s'agit d'une des quelques méthodes alternatives de soins médicaux à être étudiées en profondeur. Des études ont comparé l'acupuncture avec les antidépresseurs et ont conclu que l'acupuncture pouvait être bénéfique.

L'acupuncture provient de la croyance chinoise voulant qu'il y ait sous la peau, 14 canaux énergétiques invisibles appelés méridiens, par lesquelles circule le Qi (chi), expression chinoise signifiant force vitale. Lorsque la circulation du chi est interrompue, la maladie survient. L'acupuncteur exerce une pression sur des points spécifiques du corps afin de restaurer la libre circulation du chi et de soulager les symptômes. Pendant une séance d'acupuncture typique, le praticien insère des aiguilles de la taille d'un cheveu à travers la peau, ce qui ne cause aucune ou une très légère douleur. Les aiguilles demeurent en place pour une période variant entre 15 et 40 minutes. Une stimulation électrique peut également être exercée avec les aiguilles. Ce traitement a pour nom l'électroacupuncture.

Dans une étude réalisée sur 241 personnes hospitalisées pour une dépression, des chercheurs de l'Université médicale de Beijing en Chine ont divisé les patients en deux groupes. Un groupe a reçu un traitement d'électroacupuncture et un antidépresseur a été administré à l'autre groupe. Le traitement d'acupuncture s'est révélé aussi efficace que l'antidépresseur et présentait moins d'effets secondaires.

Bien que l'acupuncture soit de plus en plus acceptée comme traitement légitime pour certains troubles médicaux, la plupart des médecins ne sont pas encore prêts à l'accepter comme un des traitements de base contre la dépression.

constaté que les gens qui recevaient le traitement SNV pour soigner le trouble épileptique voyaient leur humeur s'améliorer. Comme pour plusieurs autres traitements, personne ne sait exactement comment la stimulation du nerf vague soulage la dépression.

Dans une étude initiale, 40 pour cent des gens qui souffraient de dépression et qui ont suivi le traitement SNV ont vu leur état s'améliorer. D'autres études sont en cours afin d'aider à établir la sécurité et l'efficacité de la procédure. Ce ne sera qu'à la conclusion de ces études que les médecins sauront si la stimulation du nerf vague s'avère un traitement recommandable pour la dépression.

Chapitre 10

Autosoins

U n traitement professionnel peut contrôler votre dépression et vous aider à vous sentir mieux, mais vous devrez néanmoins composer avec le quotidien. La vie présente inévitablement des défis et des frustrations. Nonobstant l'aide que vous obtiendrez d'un professionnel en santé mentale, vous devrez essayer de trouver des moyens d'améliorer votre bien-être général. Il y a un certain nombre de choses que vous pouvez faire pour affronter les tracas de l'existence, pendant que vous combattez la dépression, afin de mettre plus de joie dans votre vie.

Les stratégies décrites dans ce chapitre reposent sur l'importance de prendre soin de tout votre être, tant le corps que l'esprit. Adopter des habitudes saines vous aidera à guérir de la dépression et réduira les risques de rechute. Si vous n'avez pas subi de dépression, mais êtes à risque, ceci peut contribuer à la prévenir.

Traverser les épreuves

Un traitement pour la dépression ne produit généralement pas de résultats immédiats. Vous vous sentirez mieux, mais il faudra y mettre du temps. Voici quelques suggestions qui vous aideront à mieux vivre les premières semaines en attendant que votre dépression commence à s'atténuer :

Ne vous culpabilisez pas. La dépression est un problème médical, vous ne l'avez ni créée, ni choisie. L'important, c'est que vous reconnaissiez avoir besoin d'aide et que vous empruntiez la voie de la guérison.

Suivez à la lettre votre programme de traitement. Prenez vos médicaments tels que prescrits et voyez régulièrement votre médecin.

Celui-ci peut surveiller vos progrès, vous apporter le soutien nécessaire et modifier la médication au besoin.

Essayez de ne pas vous décourager. Il vous faudra peut-être un certain temps avant de revenir à la normale. N'arrêtez pas de vous répéter que vous irez mieux.

Évitez de prendre des décisions importantes. Avant de vous lancer dans une transaction importante ou de prendre une décision capitale comme un changement de carrière ou un divorce, attendez que votre dépression soit terminée et assurez-vous d'être en mesure de prendre de bonnes décisions. Vous ne voulez certainement pas que des décisions susceptibles de changer radicalement le cours de votre existence soient influencées par la pensée négative associée à la dépression.

Simplifiez-vous l'existence. Ne vous attendez pas à réaliser tout ce que vous êtes habituellement en mesure de faire. Si vous trouvez certaines choses trop difficiles, mettez-les de côté. Fixez-vous des objectifs réalistes et un échéancier à votre portée. Trouvez l'équilibre entre faire peu et faire trop. Si vous êtes trop actif trop rapidement, vous pourriez vous sentir dépassé et en ressentir de la frustration.

Soyez actifs. Prenez part à des activités qui vous font du bien ou vous donnent un sentiment d'accomplissement. Même si au début vous ne faites qu'assister à un événement sans y participer, il s'agit tout de même d'un pas dans la bonne direction.

Soyez content de vos progrès, même modestes. Tirez satisfaction de la moindre amélioration de vos symptômes. Une fois que votre traitement commencera à agir, vous devriez avoir plus d'énergie, recommencer à vous sentir bien dans votre peau et être en mesure de reprendre quelques-unes de vos activités normales.

Pendant votre guérison, essayez quelques-unes des méthodes décrites dans le reste de ce chapitre. Même si vous n'êtes pas capable de faire tout ce qui est suggéré, vous devriez être capable d'intégrer quelques-uns de ces autosoins dans votre routine quotidienne. Faites votre possible et concentrez-vous sur les choses qui font que vous vous sentez bien dans votre peau.

Prescription pour un mieux-être

Peu importe votre maladie, qu'il s'agisse d'une dépression ou d'un autre problème, il est important que vous regardiez la situation de façon globale. Votre rétablissement et le maintien d'un état de bien-être impliquent davantage que le simple traitement de votre dépression. Pour rester en bonne santé, il faut prendre soin de tous les aspects de votre personne.

Il est important pour tout individu d'observer des modes de vie sains, et plus particulièrement si vous avez déjà été malade. Une alimentation équilibrée et beaucoup d'exercice physique peuvent contribuer à restaurer vos forces et votre énergie. Prendre soin de vos besoins émotionnels et spirituels peut contribuer à réduire le stress et d'autres facteurs susceptibles de nuire à votre guérison complète.

L'adoption d'un mode de vie plus sain ne suffira pas à guérir votre dépression. Pour soulager la dépression, vous devrez consulter un professionnel de la santé. Cependant, une fois que vous aurez recommencé à vous sentir bien dans votre peau, prendre soin de votre état de santé général vous aidera à rester en bon état.

Prendre soin de votre santé physique

Faire de l'exercice physique régulièrement, observer un régime d'alimentation sain et un nombre d'heures de sommeil approprié sont à la base d'une bonne santé physique. Que vous soyez ou non atteint de dépression, ces bonnes habitudes sont importantes.

Demeurez actif

L'exercice est un moyen efficace de combattre la dépression. Des psychologues de l'Université Duke ont administré au hasard à 156 adultes du troisième âge souffrant de dépression légère à modérée, un des trois traitements suivants : des périodes d'exercices en groupe de 45 minutes, trois fois par semaine, des antidépresseurs ou une combinaison des deux. Au bout de 4 mois, les chercheurs ont découvert que les personnes qui faisaient de l'exercice avaient amélioré leur état autant que celles qui avaient pris des antidépresseurs et les autres qui avaient combiné les deux méthodes. Les chercheurs ont ensuite suivi les progrès de 83 des participants pendant une période additionnelle de 6 mois et constaté que les malades qui avaient continué à faire de l'exercice régulièrement étaient moins sujets à revivre une dépression que ceux des deux autres groupes.

Une autre étude a révélé que les personnes dépressives qui marchaient, couraient ou participaient à d'autres formes d'exercice pendant 20 à 60 minutes trois fois par semaine pendant une période aussi courte que 5 semaines affichaient une amélioration notable de leur santé mentale. De plus, les bienfaits de ce traitement se sont poursuivis pendant 1 an.

Conserver sa motivation

La plupart des gens trouvent difficile de suivre un programme d'exercice physique. Voici quelques suggestions qui vous aideront à tenir le coup et à intégrer l'exercice à vos activités quotidiennes :

Faites-en une activité divertissante. Pour éviter l'ennui, choisissez des activités que vous aimez et variez-les. Ainsi, alternez la marche, le vélo, la natation ou une activité aérobique (le terme aérobique est employé dans cet ouvrage, car il est accepté par le Bureau des traductions du gouvernement fédéral et apparaît en tant que néologisme dans le Multidictionnaire de la langue française).

Fixez-vous des objectifs. Commencez par des objectifs simples et attaquez-vous ensuite à des objectifs à long terme. Les gens qui demeurent physiquement actifs pendant 6 mois prennent généralement l'habitude d'intégrer l'exercice à leurs activités quotidiennes. Fixez-vous des objectifs réalistes que vous pourrez atteindre, sinon vous risquez de perdre patience et de tout laisser tomber si vos objectifs sont trop ambitieux.

Soyez souple. Si vous voyagez ou que vous avez une journée très occupée, vous pouvez adapter vos exercices en fonction de votre horaire. Cependant, si vous êtes malade ou blessé(e), observez un temps d'arrêt (prenez une pause) et attendez d'être rétabli(e) avant de reprendre vos exercices.

Fréquentez des personnes physiquement actives. L'activité physique est un excellent moyen de développer un réseau social. Faites de la marche en montagne ou du canot avec un(e) ami(e). Joignez les rangs d'une équipe de balle-molle, d'un club de golf ou suivez un cours de danse aérobique ou sociale. Le fait d'avoir des partenaires d'exercice vous aidera à demeurer physiquement actif.

Récompensez-vous. Après chaque séance d'exercice, prenez quelques minutes pour vous asseoir et vous détendre. Appréciez les sensations agréables que l'exercice vous procure et pensez à ce que vous avez accompli. Des récompenses externes peuvent vous aider à conserver votre motivation. Lorsque vous atteignez l'un de vos objectifs, offrez-vous une récompense.

On croit que l'exercice combat la dépression en stimulant la production d'endorphines, des substances chimiques sécrétées par le cerveau, lesquelles donnent des sentiments de satisfaction et de bien-être. Il en est souvent fait mention pour expliquer l'euphorie des coureurs. L'exercice comporte également de nombreux autres bienfaits :

- il améliore votre santé cardiovasculaire et réduit les risques de maladie du cœur. Ceci est important puisque les études indiquent que les dépressifs présentent des risques élevés de maladies cardiaques;

- il procure une énergie additionnelle et améliore la qualité du sommeil et de l'appétit;
- il favorise le maintien d'un poids santé;
- il augmente la masse osseuse et réduit les risques d'ostéoporose, une maladie qui provoque une déminéralisation squelettique;
- il diminue l'irritabilité et la colère et génère des sentiments de maîtrise et d'accomplissement.

Les activités aérobiques et non-aérobiques sont toutes deux bénéfiques pour la santé. Les activités aérobiques sont plus exigeantes pour le coeur, les poumons et les muscles, et augmentent tant le besoin d'oxygène que le rythme cardiaque et la pression sanguine. Économique et simple, la marche est l'une des formes les plus pratiques d'exercice aérobique. La bicyclette, le ski, le tennis, la danse, le jogging, la natation et l'aérobie aquatique sont toutes des activités aérobiques. Parmi les formes d'exercices non-aérobiques, on retrouve l'entraînement musculaire (haltérophilie) et les exercices d'assouplissement comme les étirements et le yoga.

Demandez à votre médecin s'il est préférable de vous soumettre à un examen physique avant de commencer à vous entraîner. Au début, allez-y mollo, puis augmentez graduellement la durée et le niveau d'effort. Optez pour une période d'environ 20 à 40 minutes d'activité à une intensité modérée, à raison de quelques jours par semaine.

Mangez sainement

Votre corps et votre cerveau ont besoin d'être bien nourris pour fonctionner efficacement. Un régime sain peut contribuer à améliorer votre bien-être à plus d'un niveau. Une alimentation variée permet d'assurer une bonne combinaison d'éléments nutritifs. Les spécialistes s'accordent pour affirmer que la meilleure façon d'augmenter les éléments nutritifs dans un régime et de limiter le gras et les calories consiste à consommer plus d'aliments à base de plantes. Les aliments à base de plantes

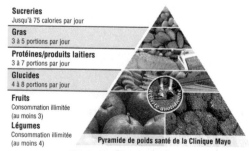

Sucreries
Jusqu'à 75 calories par jour

Gras
3 à 5 portions par jour

Protéines/produits laitiers
3 à 7 portions par jour

Glucides
4 à 8 portions par jour

Fruits
Consommation illimitée
(au moins 3)

Légumes
Consommation illimitée
(au moins 4)

Pyramide de poids santé de la Clinique Mayo

© Mayo Foundation for Medical Education and Research
Consultez votre médecin avant d'entreprendre quelque régime de poids santé que ce soit.

Alimentation et humeur

Pour bon nombre de personnes, manger est une façon de supprimer ou d'apaiser des émotions négatives comme la colère, l'anxiété ou la solitude. Afin d'éviter de manger et de boire pour combler des carences affectives :

Connaissez vos déclencheurs. Pendant plusieurs jours, écrivez ce que vous mangez et l'heure à laquelle vous prenez vos repas, ce que vous éprouvez et votre niveau d'appétit. Au bout d'un certain temps, vous devriez remarquer quelques habitudes malsaines comme une fringale de crème glacée pour apaiser une mésentente.

Trouvez une autre source de réconfort. Lorsque vous êtes pris d'une rage de sucreries ou de casse-croûte pour décompresser d'une journée stressante, faites une marche, téléphonez à un ami ou allez voir un film.

Évitez de garder des aliments gras et à teneur élevée en calories à la maison. N'achetez qu'une infime quantité de ces articles afin de satisfaire une petite fringale occasionnelle. Évitez de faire votre épicerie lorsque vous avez faim ou êtes déprimé.

Prenez des collations santé. Si vous avez vraiment faim entre les repas, limitez la quantité de nourriture et optez pour des aliments à faible teneur en gras et à faible teneur calorique comme un fruit frais, des pretzels ou du maïs soufflé sans beurre.

Limitez votre consommation de caféine et de sucre. Certaines personnes souffrant de dépression se sentent mieux lorsqu'elles cessent de consommer de la caféine et du sucre ou du moins en font un usage modéré. La caféine peut provoquer des symptômes d'anxiété et troubler le sommeil. Le sucre procure un regain d'énergie, mais occasionne après coup, de la fatigue et de l'apathie.

Limitez votre consommation d'alcool. Il est parfois tentant de prendre quelques boissons alcoolisées lorsque vous avez eu une journée difficile ou que vous vous sentez très tendu(e). Cette habitude peut engendrer des problèmes puisque l'alcool a un effet déprimant. Si vous consommez de l'alcool, usez de modération.

Si vous prenez des médicaments ou qu'il y a des antécédents de dépendance chimique au sein de votre famille, il est préférable d'éviter de consommer de l'alcool. Demandez à votre médecin ce qui lui semble le mieux convenir à votre état.

contiennent des ingrédients bénéfiques pour la santé comme des vitamines, des minéraux, des fibres et des composés améliorant le fonctionnement de l'organisme, appelés phytochimiques.

Vous trouverez ci-dessous une liste des types d'aliments et la quantité quotidienne recommandée pour vous maintenir en santé et réussir à conserver un poids santé. Ces suggestions proviennent de la Pyramide de poids santé de la Clinique Mayo, un guide sur la bonne alimentation.

Légumes : portions illimitées. Les légumes sont naturellement faibles en calories et contiennent peu de gras ou pas du tout. Les légumes frais sont les meilleurs.

Fruits : portions illimitées. Les fruits sont généralement faibles en calories et contiennent peu de gras ou pas du tout. Les fruits frais sont toujours les meilleurs et constituent une délicieuse collation.

Glucides : 4 à 8 portions. Les glucides comprennent les céréales, les pains, le riz et les pâtes, ainsi que les légumes farineux comme le maïs et les pommes de terre. Certains aliments dont la teneur est élevée en glucides sont également riches en gras et en calories, mais la plupart des céréales, des pains et des pâtes ordinaires sont faibles en gras et en calories. Les glucides devraient, avec les légumes et les fruits, constituer la base d'un régime quotidien.

Protéines/produits laitiers : de 3 à 7 portions. On retrouve les protéines dans de nombreux aliments, y compris le lait, le yogourt, le fromage, les oeufs, la viande, le poisson et les légumineuses (haricots, pois secs et lentilles). Essayez de choisir une variété de protéines sans gras ou à faible teneur calorique.

Gras : de 3 à 5 portions. Votre corps a besoin d'une petite quantité de gras pour l'aider à fonctionner, mais la plupart des gens consomment beaucoup plus de gras que nécessaire. Une façon simple de réduire le gras dans votre régime alimentaire consiste à réduire la quantité d'huile, de beurre et de margarine que vous ajoutez à la nourriture lorsque vous la préparez

Sucreries : jusqu'à 75 calories par jour. Des sucreries comme les friandises et les desserts contiennent de nombreuses calories, dont la teneur en gras est parfois élevée et sont peu nutritives. Vous n'avez pas à cesser complètement votre consommation de sucreries pour demeurer en santé, mais faites attention à la qualité et à la quantité des friandises que vous achetez.

Assurez-vous d'avoir suffisamment de sommeil

Le sommeil est régénérateur. Il améliore l'attitude, procure l'énergie nécessaire à l'activité physique et aide à composer avec le stress. Le sommeil renforce également le système immunitaire, réduisant les risques de maladie.

Si vous prenez des médicaments et que vous avez des troubles du sommeil, parlez-en avec votre médecin ou thérapeute. Les antidépresseurs peuvent affecter le sommeil de plus d'une façon. Vous devrez peut-être changer de médication ou prendre un médicament additionnel. Voici d'autres suggestions qui devraient vous aider :

Fixez-vous des heures de sommeil régulières. Couchez-vous et levez-vous aux mêmes heures chaque jour, y compris les fins de semaine. Des habitudes de sommeil régulières améliorent la qualité du sommeil.

Détendez-vous avant d'aller au lit. Vous pouvez utiliser des techniques de relaxation (voir « Pratiquer des techniques de relaxation », plus loin dans ce chapitre), prendre un bain chaud, regarder la télévision ou écouter une musique apaisante.

Adoptez une routine avant le coucher. Des habitudes régulières de fin de soirée préparent votre corps au sommeil. Vous pouvez lire pendant un certain temps ou prendre une légère collation.

Ne dormez pas trop. Trop de sommeil occasionne un sommeil peu profond et non réparateur. Fixez-vous un objectif d'environ 8 heures de sommeil. Certaines personnes ont besoin de moins d'heures de sommeil, d'autres davantage. Limitez-vous à un maximum de 9 heures de sommeil.

Ne faites pas d'efforts pour dormir. Plus vous essaierez de vous endormir, plus vous serez réveillé. Lisez ou regardez la télévision jusqu'à ce que vous sentiez venir le sommeil et tombiez endormi de façon naturelle. Si vous vous réveillez durant la nuit, lisez ou regardez la télévision et fermez la lumière lorsque vous sentirez à nouveau venir le sommeil. Essayez de ne pas sortir du lit.

Limitez vos activités dans la chambre à coucher. Contentez-vous d'utiliser votre chambre à coucher pour le sommeil et pour les relations sexuelles, n'apportez pas de travail au lit.

Évitez ou limitez votre consommation de caféine, d'alcool et de nicotine. La caféine et la nicotine peuvent vous empêcher de dormir. L'alcool procure un sommeil non réparateur et des réveils fréquents.

Limitez les interruptions. Fermez la porte de votre chambre à coucher ou créez un bruit de fond subtil, comme celui d'un ventilateur,

Adoptez de meilleures habitudes.

J'ai toujours été très gros toute ma vie. Enfant, je mangeais pour oublier ma dépression. Je mange toujours davantage quand je suis déprimé.

À 36 ans, j'ai perdu 90 livres et j'ai maintenu ce poids pendant quelques années. Je me souviens du jour où j'ai dit que rien n'était plus important que de perdre cet excédent de poids, ce qui signifiait pour moi une sorte de renaissance à la vie. J'en ai fait ma priorité tout en sachant que je n'en viendrais pas à bout tout seul. Je me suis donc fait un programme : Weight Watchers, exercice, Outremangeurs anonymes et thérapie.

Je ne savais pas que l'exercice pouvait être aussi bénéfique. Je me suis senti vraiment bien en m'entraînant. Ces endorphines sont puissantes ! J'allais au gymnase cinq fois par semaine faire 1 ou 2 heures d'exercice. Lorsque vous vous débarrassez d'une accoutumance, il faut parfois la remplacer par une autre habitude plus saine, du moins au début.

Je me souviens aussi avoir pris conscience du fait que ma dépression s'était aggravée parce que je m'alimentais mal et que je m'engourdissais avec du sucre, des glucides ou du gras. Les Outremangeurs anonymes m'ont beaucoup aidé. Le fait de pouvoir compter sur une «force supérieure» ou de croire en quelque chose d'extérieur à moi-même et en un regroupement de personnes partageant les mêmes sentiments m'a fait le plus grand bien.
Lucien,
Montmagny, Québec

pour couvrir les autres bruits. Maintenez une température confortable dans votre chambre, car les températures fraîches favorisent le sommeil. Buvez moins d'eau avant de vous mettre au lit afin de ne pas avoir à vous lever au milieu de la nuit pour aller à la salle de bain.

Demeurez actif. Une activité physique régulière favorise un sommeil plus profond. Essayez de vous entraîner au plus tard 4 à 5 heures avant le coucher, car faire de l'exercice avant d'aller au lit peut maintenir éveillé.

Gérer votre bien-être émotionnel

La dépression ne se limite pas aux substances chimiques du cerveau et aux niveaux d'hormones. Elle affecte aussi vos émotions, vos pensées, vos croyances et votre attitude. Même une fois guéri(e) d'un épisode de dépression, vous vivrez des émotions pénibles de façon périodique, y compris des sentiments de colère et de tristesse. Apprendre à composer avec ces sentiments intenses peut vous aider à mieux gérer votre bien-être émotionnel.

Gérez votre colère

Il est normal d'être fâché(e) de temps à autre, qu'il s'agisse d'un automobiliste qui vous double, d'une corvée à effectuer au travail ou d'un (e) collègue de travail qui fait montre d'impolitesse à votre égard. Cependant, il est malsain de demeurer fâché(e), de ruminer votre colère ou de l'exprimer par des crises de rage. Une colère mal gérée peut vous nuire de plusieurs façons. Les suggestions suivantes vous aideront à mieux composer avec la colère :

Identifiez ce qui déclenche votre colère. Si un de vos amis vous rend visite et que celui-ci a l'habitude de vous agacer, préparez-vous en fonction de sa prochaine visite. Si vous vous fâchez lorsque vous arrivez en retard à un rendez-vous, prévoyez plus de temps pour le trajet.

Reconnaissez les signes de la colère. Que faites-vous lorsque vous commencez à être fâché ? Votre cou et vos épaules se contractent-ils ? Serrez-vous les dents ? Parlez-vous plus rapidement ou plus fort ? Apprenez à reconnaître ces symptômes pour qu'ils vous servent d'avertissement. Lorsqu'ils surgiront, vous devrez essayer de vous calmer.

Prenez le temps de refroidir vos esprits. Lorsque vous sentez monter la colère, accordez-vous une pause. Prenez vos distances jusqu'à ce que vous vous soyez calmé(e). Comptez jusqu'à 10, prenez quelques inspirations profondes, regardez par une fenêtre et répétez un mot ou une phrase apaisant(e).

Choisissez votre façon de réagir. Vous avez le choix quant à votre type de réaction face à des situations difficiles. Avec un peu de pratique, vous parviendrez à exprimer votre colère de façon appropriée et non agressive.

Trouvez des soupapes d'échappement. Pensez à des façons créatives de relâcher l'énergie générée par la colère en écrivant, en écoutant de la musique, en dansant ou en peignant.

Ne laissez pas sortir la colère. Exprimez vos frustrations calmement plutôt qu'en attaquant verbalement la personne qui vous a offensée. Ainsi, vous pourriez dire : «Ce que tu m'as dit m'a vexé» plutôt que «C'est la 20e fois que tu m'insultes, aujourd'hui ! »

Libérez-vous des «pensées destructrices». Prenez note de toute pensée destructrice et irrationnelle qui nourrit la colère et débarrassez-vous en. Plutôt que de vous dire : « C'est terrible, tout est terminé », dites-vous plutôt : « C'est frustrant et il n'est guère surprenant que je sois irrité, mais ce n'est pas la fin du monde. »

Pratiquez le pardon

La colère peut être alimentée par un ressentiment persistant envers quelqu'un qui vous a fait du tort. Les chercheurs croient qu'entretenir des sentiments de vengeance à l'égard de quelqu'un génère un stress corporel. Maintenir un sentiment de colère peut augmenter les risques d'hypertension artérielle et de maladie cardiaque, en plus de nuire à la santé émotionnelle.

Comment se défaire de la colère ? Essayez de pardonner. Une étude menée sur des femmes qui ont vécu l'inceste a révélé que celles qui sont parvenues à pardonner ont vu leur anxiété et leur dépression diminuer. Pardonner à quelqu'un qui nous a fait du mal est une des choses les plus difficiles à réaliser. Pardonner ne veut pas dire oublier, nier, condamner ou se réconcilier avec cette personne. Il s'agit plutôt d'une façon d'éviter d'être détruit par des pensées négatives.

Le pardon comprend quatre phases. Premièrement, vous devez reconnaître votre douleur. Ensuite, vous devez admettre que quelque chose doit changer pour que vous guérissiez. La troisième phase est celle du travail, soit la plus difficile. Vous devez trouver une nouvelle façon de penser à la personne qui a vous fait du tort. Pour terminer, vous devez vivre un soulagement émotionnel. Une fois que votre douleur sera moins grande, vous serez prêt à aller de l'avant.

Composez avec le chagrin

Perdre quelque chose ou quelqu'un qui vous est cher est une expérience déchirante. Vous ne pouvez éviter les pertes, chacun doit y faire face, mais il est possible de vivre le chagrin de façon à réduire les risques de développer une dépression. Pour surmonter le chagrin :

Ressentez la perte. Reconnaissez l'importance de cette perte et n'essayez pas de dissimuler vos émotions. Lorsque vous n'en pourrez plus, pleurez un bon coup. Même les hommes et les femmes les plus solides pleurent.

Exprimez vos sentiments. Parlez à des membres de votre famille et à des amis, à votre médecin ou à un conseiller, susceptibles de vous apporter du soutien.

Demandez de l'aide. Vos amis voudront sans doute vous aider, mais ne sauront pas comment. Dites-leur ce dont vous avez besoin, qu'il s'agisse d'un repas, d'une promenade en auto ou d'une épaule sur laquelle pleurer.

Accordez-vous le temps nécessaire à la guérison. Le chagrin est un processus. Vous pourriez vous sentir impuissant, vide et perdu pendant quelques semaines ou quelques mois, mais vous ressentirez éventuellement une meilleure maîtrise de la situation. Si votre chagrin est profond ou persiste plus d'un an, parlez de vos sentiments et de vos symptômes avec votre médecin.

Conservez une attitude optimiste

Nous avons tous tendance à nous parler intérieurement, à commenter nos allures et agissements et à ruminer nos problèmes. Se parler à soi-même fait en sorte qu'un flot continuel de pensées circule dans notre tête pendant toute la journée. Ces pensées peuvent être positives comme négatives. Les personnes déprimées sont plus susceptibles d'entretenir des pensées négatives.

Avec un peu de pratique, vous apprendrez à identifier les pensées négatives et à les remplacer par des pensées positives. Tout au long de la journée, arrêtez-vous et évaluez ce que vous pensez et tentez de trouver un moyen de substituer des pensées positives à vos pensées négatives. Avec le temps, votre rumination deviendra automatiquement plus positive et rationnelle. Ces conseils peuvent également vous être utiles :

- dites-vous que les situations désagréables sont souvent temporaires et que tout finit par s'arranger avec le temps, un peu comme la météo ;
- ne vous culpabilisez pas lorsque quelque chose va mal. Si votre conjoint(e), un(e) ami(e) ou votre patron est de mauvaise humeur, ne présumez pas que c'est à cause de vous ;
- pensez à la façon dont vous pourriez améliorer une situation désagréable. Si un collègue critique votre travail, demandez ce que vous pourriez faire pour améliorer votre rendement ;
- avant de vous laisser emporter par des pensées négatives, posez-vous la question à savoir si vous ne réagissez pas un peu trop vivement.

Rédigez un journal personnel

Écrire un journal vous aidera à exprimer votre douleur, votre colère et vos peurs, à augmenter votre prise de conscience et contribuera à mettre les choses en perspective. Des études indiquent également que la tenue d'un journal personnel a des effets bénéfiques sur la santé. Les experts croient qu'écrire au sujet de ses sentiments et des événements de notre vie aide à soulager le stress.

Gardez votre journal confidentiel. Il est plus facile de s'exprimer sans faux-fuyant lorsqu'on sait que personne d'autre n'en prendra connaissance. Concentrez-vous sur ce que vous ressentez plutôt que de décrire vos activités quotidiennes. Ceci vous permettra d'alléger votre anxiété, de composer avec des sentiments douloureux et vous fera le plus grand bien. Si vous vivez une émotion intense, qu'elle soit positive ou négative, décrivez-en les circonstances et les effets. Faire face à vos émotions et les exprimer peut augmenter le sentiment de détresse de façon brève, il est préférable de ne pas rédiger votre journal à l'heure du coucher.

Contrôlez le stress

Certaines personnes possèdent une meilleure résistance face au stress. Bien qu'elles soient confrontées aux mêmes situations stressantes que les autres, elles semblent mieux composer avec ces désagréments. Si vous êtes facilement stressé(e), savez-vous pourquoi ? Parfois, le simple fait de savoir ce qui cause le stress, permet de le diminuer. Votre anxiété peut être reliée à des facteurs externes comme le travail, la famille ou des impondérables. Il arrive également qu'il s'agisse de facteurs internes comme le perfectionnisme ou des attentes irréalistes.

Demandez-vous si vous pouvez faire quelque chose pour réduire le stress ou éviter les sources d'anxiété. Certains facteurs de stress sont contrôlables, d'autres non. Pour les situations que vous ne pouvez changer, essayez de trouver des moyens de garder votre calme en toutes circonstances. Voici quelques suggestions susceptibles de réduire votre stress quotidien :

Planifiez vos journées. Levez-vous 15 minutes plus tôt pour faciliter la course du matin. Dressez un horaire de vos activités quotidiennes de façon à éviter les conflits d'horaire ou une course à la dernière minute pour vous rendre à un rendez-vous ou vous livrer à une activité.

Simplifiez votre horaire. Établissez des priorités, planifiez et allez-y à votre rythme. Apprenez à déléguer des responsabilités aux autres. Refusez des responsabilités additionnelles si vous croyez ne pas être en mesure de les assumer.

Soyez organisé. Aménagez votre maison et votre espace de travail de façon à ce que vous sachiez où les choses se trouvent afin d'y accéder rapidement.

Changez votre rythme. Délaissez votre routine de temps à autre et explorez de nouveaux horizons, sans horaire défini. Prenez des vacances, même s'il ne s'agit que d'un voyage de fin de semaine.

Identifiez les indicateurs de stress. Avez-vous mal au dos ? Placez-vous des objets aux mauvais endroits ou conduisez-vous trop vite ? Lorsque vous vous apercevez rapidement de la présence du stress, forcez-vous à arrêter et dites-vous : « Je suis stressé et je dois faire quelque chose pour y remédier ».

Pratiquez des techniques de relaxation

La relaxation favorise un état de calme physique et mental, contrairement à la réaction de combat ou de fuite générée par le stress. Non seulement la relaxation aide à soulager le stress, mais elle contribue également à gérer les demandes quotidiennes et à demeurer vigilant, énergique et productif. Il existe de nombreuses techniques favorisant la relaxation. En voici quelques-unes :

Respiration profonde. La plupart des adultes ont une respiration thoracique superficielle. Une respiration profonde du diaphragme, le muscle situé entre la poitrine et l'abdomen, est relaxante. Asseyez-vous confortablement avec les pieds à plat sur le plancher. Desserrez les vêtements serrés autour de votre abdomen. Mettez vos mains sur votre bassin ou sur les côtés. Respirez lentement par le nez, si possible, tout en comptant jusqu'à quatre. Laissez votre abdomen se dilater pendant que vous inspirez. Arrêtez une seconde, puis expirez par la bouche à un rythme normal.

Relaxation musculaire progressive. Cette technique implique la relaxation d'une série de muscles à la fois, en augmentant puis en diminuant la tension dans ces muscles. Pour commencer, contractez légèrement un groupe de muscles comme ceux d'une jambe ou d'un bras et relâchez-le. Concentrez-vous sur le relâchement de la tension dans un groupe de muscles en particulier, puis passez au groupe suivant. Ainsi, vous pouvez commencer par les orteils et les pieds et remonter vers les jambes, les fesses, le dos, l'abdomen, la poitrine, les épaules, les bras, les mains et ainsi de suite.

Méditation. Les adeptes de nombreuses traditions religieuses et culturelles méditent depuis plusieurs siècles. Il n'existe pas une façon spécifique de méditer. La plupart des formes de méditation exigent de s'asseoir en silence pendant 15 à 20 minutes en respirant lentement et de façon rythmée. Il est utile de compter sur un spécialiste pour vous guider dans vos premières séances de méditation. Des professeurs de yoga et certains thérapeutes ont les connaissances nécessaires pour vous initier. Il est également possible de se procurer des cassettes et des disques de méditation.

Imagerie mentale. Également connue sous le nom de visualisation, l'imagerie mentale est une méthode de relaxation qui exige de vous asseoir ou de vous allonger en silence et de vous imaginer dans un endroit apaisant. Vous devez sentir cet environnement avec tous vos sens comme si vous étiez vraiment à cet endroit. Ainsi, imaginez que vous êtes étendu sur la plage. Représentez-vous un magnifique ciel bleu, ressentez la chaleur du soleil et la brise sur votre peau, humez l'air salin et écoutez les vagues échouer contre le rivage. Les messages enregistrés par votre cerveau pendant que vous imaginez ces sensations contribuent à vous détendre.

Développez un réseau de soutien

Des années de recherches révèlent qu'un solide réseau social est une composante importante de la santé globale. Les gens qui se sentent en relation avec les autres sont généralement en meilleure santé physique. Leur système immunitaire est plus résistant et ils présentent moins de risques de contracter une maladie et de décéder.

Les liens sociaux améliorent aussi la santé mentale et procurent le sentiment d'être utile. De bons amis et un soutien familial constituent une source d'encouragement, répondent par des réactions aidantes et donnent un coup de main lorsque vous en avez besoin. Ils peuvent également vous motiver à prendre soin de vous-même. Voyez si votre réseau social vous apporte un certain soutien. Si vous avez besoin de soutien, voici quelques suggestions :

Passez du temps en compagnie de tous les membres de votre famille. Organisez une réunion avec vos grands-parents, vos parents, vos soeurs et vos frères. Renouez les liens avec une de vos tantes préférées ou un cousin que vous n'avez pas vu depuis belle lurette.

Faites la connaissance de vos voisins. Organisez un pique-nique ou une fête de quartier. Présentez-vous à vos voisins lorsque vous les rencontrez.

Joignez-vous à des organismes communautaires. Établissez des liens avec d'autres personnes qui s'intéressent aux mêmes questions.

Soyez ouvert(e) aux autres. Acceptez les invitations à participer à des activités. Répondez au téléphone et aux lettres et soyez à l'écoute des autres.

Faites table rase des différences. Adoptez une approche sans préjugés dans vos relations, et ce même si vous avez déjà vécu des problèmes.

Qu'en est-il des groupes de soutien?

Certaines personnes trouvent du réconfort en discutant avec des gens qui ont les mêmes sentiments et problèmes qu'eux. En plus d'offrir un soutien émotionnel, ces groupes peuvent donner un sentiment d'appartenance. C'est aussi un bon endroit pour se faire de nouveaux amis.

Toutefois, les groupes de soutien ne sont pas faits pour tous. Pour profiter d'un groupe de soutien, vous devez avoir envie de partager vos pensées et vos sentiments de façon honnête. Vous devez également avoir envie de connaître et d'aider d'autres personnes. Les gens qui n'aiment pas parler devant un groupe ou écouter les problèmes des autres ne profiteront pas vraiment d'un groupe de soutien. N'oubliez pas qu'il est normal d'éprouver une certaine inquiétude à l'idée de se joindre à un groupe formé d'inconnus et de parler devant eux. N'y renoncez pas pour autant, car bon nombre de gens s'aperçoivent qu'au bout de quelques séances, ils commencent à apprécier les réunions et à les trouver utiles.

Demandez à votre médecin ou à votre thérapeute s'il existe un groupe de soutien pour personnes dépressives dans votre région. Vérifiez également auprès de votre régie régionale de la santé, d'une organisation de santé communautaire ou de votre bibliothèque de quartier. Vous avez également l'option de communiquer avec les organisations de santé mentale dont la liste apparaît à la fin de ce livre. Évitez les groupes qui promettent des résultats rapides ou qui vous obligent à parler de choses avec lesquelles vous n'êtes pas à l'aise.

Il existe de nombreux groupes de soutien sur Internet. Un groupe en ligne peut s'avérer utile si vous vivez en campagne ou dans un petit village. Toutefois, n'oubliez pas qu'une interaction par l'intermédiaire d'un ordinateur ne peut en aucun cas remplacer la communication face à face. De plus, il est impossible de vérifier si les gens avec qui vous clavardez sont vraiment ceux qu'ils prétendent être.

Être à l'écoute de vos besoins spirituels

La spiritualité est souvent confondue avec la religion. Toutefois, la spiritualité n'est pas étroitement associée à une croyance spécifique ou à une forme de culte comme c'est le cas avec l'esprit ou l'âme. La spiritualité se rapporte aux sens, aux valeurs et aux buts de l'existence. La religion est une façon d'exprimer ses croyances spirituelles, mais ce n'est pas la seule. Pour certaines personnes, la spiritualité consiste à se sentir en harmonie avec la nature, alors que d'autres expriment leur spiritualité par le biais d'un véhicule comme la musique ou diverses formes d'art.

Spiritualité et guérison

De nombreuses études ont tenté de mesurer l'effet de la spiritualité sur la maladie et la guérison. La plupart de ces études indiquent que les croyances spirituelles ont un effet bénéfique sur la santé. Personne ne sait exactement comment la spiritualité influence la santé. Il s'agit peut-être de l'effet curateur de l'espoir, reconnu pour ses vertus sur le système immunitaire. Pratiquer la méditation, qui fait partie intégrante de nombreuses traditions spirituelles, favorise la détente musculaire et ralentit le rythme cardiaque. D'autres chercheurs font plutôt référence aux contacts sociaux souvent générés par la spiritualité.

Bien que la spiritualité soit associée à la guérison et à une meilleure santé, il ne s'agit pas d'une cure. Elle peut vous aider à vivre de façon plus épanouie en dépit de vos symptômes. Cependant, les études n'ont pas été en mesure de prouver que la spiritualité guérit les problèmes de santé. Il est préférable de voir la spiritualité comme une force de guérison, mais non comme une alternative aux soins médicaux traditionnels.

Trouvez le bien-être spirituel

Pour rajeunir le côté spirituel de votre existence, vous devez identifier ce qui vous procure la paix intérieure. Il peut s'agir d'un des véhicules suivants :

- écrits inspirants ;
- culte ;
- prière ou méditation ;
- art ;
- musique ;
- activités de plein-air.

L'attaque est toujours la meilleure défense

Une des meilleures façons de gérer la dépression et de prévenir la récurrence des épisodes dépressifs consiste à anticiper et à résoudre des

problèmes potentiels avant qu'ils ne deviennent des problèmes véritables. Cela suppose que vous devez vous conformer à votre plan de
traitement et adopter des habitudes susceptibles de favoriser votre guérison, tel l'exercice physique. Vous devez aussi demeurer vigilant et rester
à l'affût de tout symptôme de rechute.

Les signes avant-coureurs sont différents pour chacun. Peut-être
avez-vous commencé à vous réveiller plus tôt le matin ou mangé plus
que d'habitude. Vous vous sentez particulièrement irritable, prêt à vous
emporter pour des questions sans importance. Soyez attentif à vos
signaux d'alerte, aux signes pouvant faire croire que vous souffrez de
dépression.

Dites-vous que la vie comporte naturellement des hauts et des bas
et que le fait de se sentir triste à l'occasion ne signifie pas que vous
êtes en train de sombrer une fois de plus dans la dépression. Toutefois,
si ces sentiments perdurent, voyez votre médecin, qui pourrait suggérer
de modifier votre plan de traitement ou vous rappeler d'utiliser les
habiletés d'adaptation que vous avez acquises.

Partie 3

Groupes et problèmes spécifiques

Chapitre 11

Femmes
et dépression

L a dépression est deux fois plus présente chez les femmes que chez les hommes. Au cours de leur existence, environ 20 pour cent des femmes connaîtront une dépression majeure ou une dysthymie, contre 10 pour cent des hommes. En ce qui a trait au trouble bipolaire, la prévalence de maladie est environ la même chez les hommes que chez les femmes. Cependant, les femmes connaissent généralement un plus grand nombre d'épisodes dépressifs et moins d'épisodes de manie.

La dépression touche généralement les femmes entre 25 et 44 ans, soit à un âge moins avancé que les hommes. Chez les femmes, les signes et les symptômes de la dépression ont également tendance à être différents de ceux des hommes. Les femmes ont souvent une augmentation de l'appétit, prennent du poids et ont un goût marqué pour les glucides. Inversement, les hommes ont généralement moins faim et perdent du poids. Les femmes sont également plus sujettes à la dépression saisonnière ou à une maladie s'y rattachant, comme l'anxiété ou un trouble alimentaire. Les hommes dépressifs sont plus vulnérables à la toxicomanie.

Pourquoi les femmes sont-elles plus vulnérables face à la dépression?

On croit que différents facteurs, médicaux, psychologiques et sociaux associés spécifiquement aux femmes, sont responsables du fait que les femmes sont plus sujettes à la dépression que les hommes. L'interaction des facteurs suivants augmente les risques de dépression chez la femme:

Facteurs biologiques. Ils incluent des facteurs génétiques et des changements d'humeur associés à la production d'hormones sexuelles féminines.

Facteurs sociaux et culturels. Les femmes sont plus susceptibles d'assumer une double responsabilité professionnelle et familiale. Elles sont également plus sujettes que les hommes à vivre la pauvreté et le statut monoparental et d'avoir été victime d'abus physique ou sexuel.

Facteurs psychologiques. Les hommes et les femmes apprennent souvent à composer avec le stress de façon différente. Certains experts supposent qu'en raison de facteurs sociaux et culturels, les femmes sont moins portées que les hommes à agir et à régler leurs problèmes et ont plutôt tendance à s'y enliser.

La dépression durant les années de fertilité

Avant l'adolescence, les garçons et les filles ont des taux de dépression similaires. Ce n'est qu'à la puberté que les différences commencent à se manifester. Entre 11 et 13 ans, les taux de dépression augmentent considérablement chez les filles et à 15 ans, les filles sont presque deux fois plus sujettes que les garçons à vivre un épisode dépressif majeur.

Vu que ce fossé des sexes augmente après la puberté et disparaît après la ménopause, les scientifiques croient que les facteurs hormonaux y jouent un rôle. Les expériences physiques des femmes durant leurs années de fertilité, y compris la menstruation, la grossesse et la ménopause, produisent des modifications dans la production d'hormones sexuelles pouvant être associés aux changements d'humeur. Les changements hormonaux, surtout lorsqu'ils sont combinés à d'autres facteurs médicaux ou à des problèmes sociaux psychologiques, sont susceptibles d'augmenter les risques de dépression chez les femmes.

Syndrome prémenstruel

Des millions de femmes connaissent trop bien les changements d'humeur qui se produisent juste avant les menstruations, c'est-à-dire l'anxiété, l'irritabilité et la tristesse. De 20 à 40 pour cent des femmes vivent ces émotions. Nombre de femmes éprouvent également des symptômes physiques comme des ballonnements, des douleurs aux seins, de la fatigue, des douleurs musculaires ou des maux de tête, juste avant leurs menstruations.

La gravité des symptômes prémenstruels perturbe la vie et les relations interpersonnelles d'un faible pourcentage de femmes, estimé entre 3 et 5 pour cent. Cette maladie est appelée trouble dysphorique prémenstruel ou simplement syndrome prémenstruel et ses symptômes peuvent inclure :

- humeur dépressive marquée ;
- sentiments de désespoir ;
- anxiété, tension, impression d'être crispée, tendue ;
- envie de pleurer ;
- hypersensibilité au rejet ;
- irritabilité inhabituelle et augmentation des conflits interpersonnels ;
- diminution de l'intérêt pour les activités habituelles ;
- difficulté à se concentrer ;
- léthargie, fatigue excessive, perte d'énergie ;
- modification marquée de l'appétit et des stades du sommeil ;
- sentiment d'être débordée ou de perte de contrôle.

Les chercheurs étudient ce qui rend certaines femmes plus vulnérables au syndrome prémenstruel. Ils croient que les changements physiques et émotionnels qui surviennent généralement avant la ménopause résultent d'une réaction accrue aux changements hormonaux physiologiques. Ce trouble peut également être causé par une réaction anormale à des changements hormonaux.

Les inhibiteurs spécifiques de la recapture de la sérotonine (ISRR) s'avèrent souvent efficaces dans le soulagement des symptômes du syndrome prémenstruel. Généralement, ces médicaments sont pris de façon quotidienne, mais ils peuvent aussi être pris uniquement durant les 2 semaines précédant les menstruations, soit durant la période la plus propice au développement du trouble dysphorique prémenstruel. Votre médecin est en mesure de vous aider à déterminer la méthode qui vous convient le mieux. Parmi les autres traitements recommandés pour le trouble dysphorique prémenstruel, on retrouve une augmentation de l'activité physique, un changement de régime alimentaire, des techniques de relaxation et la psychothérapie.

Dépression pendant la grossesse

Plusieurs femmes se sentent particulièrement en santé et positives durant la grossesse. La production accrue de certaines hormones semble rehausser leur moral. Toutefois, environ 10 pour cent des femmes vivent une dépression au cours de leur grossesse. Le risque est plus grand pour les femmes qui ont déjà subi une dépression. Parmi les autres facteurs à risque, on retrouve des antécédents de syndrome prémenstruel, un soutien social limité, la jeunesse, la solitude, des problèmes conjugaux et un sentiment d'ambivalence face à la grossesse.

Le choix d'un traitement pour combattre la dépression au cours d'une grossesse implique l'évaluation des risques et des avantages des diverses thérapies en accord avec votre médecin. Les stratégies d'auto-soins décrits au chapitre 10 peuvent s'avérer utiles pour une dépression légère et la psychothérapie est bénéfique dans le cas d'une dépression modérée.

Si votre dépression est de modérée à grave et nuit à votre auto-nomie, les antidépresseurs pourraient s'avérer une bonne solution. Les recherches indiquent que les inhibiteurs spécifiques de la recapture de la sérotonine pris au cours d'une grossesse, sont relativement sécuri-taires, tant pour la mère que pour le foetus. La majorité des études récentes menées sur des femmes qui ont pris des inhibiteurs spécifiques de la recapture de la sérotonine durant leur grossesse ont constaté que les médicaments n'affectaient pas le foetus. Votre médecin peut vous aider à évaluer le pour et le contre de votre situation.

Plusieurs femmes préfèrent, et les médecins leur recommandent, éviter de prendre des médicaments pendant la grossesse. Toutefois, les risques de ne pas traiter la dépression, particulièrement dans ses fornes les plus graves, doivent être pris en compte. Ils peuvent inclure une mauvaise alimentation de la mère et du foetus, des soins prénataux inap-propriés, un bébé de faible poids à la naissance et une naissance préma-turée. Une dépression non soignée peut s'aggraver ou devenir chronique. Selon une étude en cours, menée par l'université U.C.L.A. (Los Angeles, en Californie) et l'université Emory, les femmes déprimées qui cessent de prendre des antidépresseurs tôt durant leur grossesse affichent un pourcentage de rechute de 50 % au troisième trimestre. La thérapie par électrochocs (ECT) peut s'avérer une alternative pour les femmes souffrant de dépression grave et qui n'ont pas réagi favorablement à d'autres traitements. Bien qu'elle soit rarement utilisée pendant une grossesse, la thérapie ECT est considérée relativement sécuritaire.

Dépression post-partum

Enfanter est un événement à la fois intense, excitant, terrifiant et joyeux. Les femmes passent souvent par toute une gamme d'émotions après la naissance de leur enfant, y compris des symptômes connus sous le nom de syndrome du troisième jour. En l'espace de quelques jours après la naissance de l'enfant, plus de la moitié des nouvelles mères éprouvent des sentiments de tristesse, de colère, d'irritation ou d'anxiété. Les nouvelles mères peuvent pleurer sans raison précise et sont même susceptibles d'éprouver des sentiments négatifs à l'égard de leur bébé. Ces sentiments sont normaux et s'estompent généralement en l'espace d'une semaine ou un peu plus.

Une maladie plus grave appelée dépression post-partum touche environ 25 pour cent des nouvelles mères. Ce type de dépression est généralement occasionné par une déficience ou un changement au niveau des hormones sexuelles, lesquelles influencent l'activité cérébrale dans les régions associées au contrôle de l'humeur. Les symptômes de la dépression post-partum sont similaires à ceux de la dépression majeure et se développent généralement en l'espace de quelques semaines après la naissance. De plus, vous pourriez ressentir un manque d'intérêt envers vous-même ou votre bébé ou un intérêt démesuré pour le bébé. Vous pourriez avoir des attentes exagérées envers vous-même ou vous sentir prise au piège, inadéquate ou questionner votre habileté à devenir parent.

Vos risques de connaître une dépression post-partum sont plus élevés si :

- vous avez déjà vécu une dépression ;
- vous êtes déprimée pendant la grossesse ;
- vous vivez des problèmes conjugaux ;
- vous vivez des situations difficiles pendant votre grossesse ;
- vous ne disposez pas d'un réseau de soutien.

Le traitement pour la dépression post-partum peut comprendre des antidépresseurs, une psychothérapie ou les deux. Les mères qui allaitent au sein craignent que les antidépresseurs soient dangereux pour la santé du bébé. Des études menées sur des enfants allaités au sein n'ont révélé aucun effet contraire chez les enfants dont les mères avaient pris des inhibiteurs spécifiques de la recapture de la sérotonine, mais d'autres recherches devront être effectuées afin d'en évaluer les effets potentiels à long terme. Certains chercheurs croient que des suppléments d'oestrogène pourraient s'avérer efficaces dans le traitement de la dépression post-partum. Toutefois, des recherches additionnelles devront également être effectuées dans ce domaine.

Témoignage personnel sur la dépression post-partum

En tant que nouvelle mère, à 38 ans, je n'ai jamais entendu parler de la dépression post-partum. Pendant les premières semaines, je n'ai pas connu l'état mélancolique qui suit la naissance, soit le syndrome du troisième jour. Toutefois, j'étais extrêmement anxieuse et rien n'aurait pu me préparer à la crainte terrifiante d'avoir à prendre soin d'une autre vie humaine.

Je me souviens des longues nuits où je demeurerais étendue à attendre un sommeil qui ne venait pas. Cela n'avait rien à voir avec l'insomnie occasionnelle dont j'ai souffert en raison d'un stress professionnel, l'excitation d'un voyage ou même les derniers mois de ma grossesse.

Après avoir consommé des somnifères en vente libre pendant quelques semaines, je suis allé consulter plusieurs médecins. Reconnaissant les craintes entourant ma maternité, j'ai consulté un psychologue, lequel est devenu une importante source de soutien durant les mois subséquents et un élément de stabilité dans ce feu roulant d'émotions, de médecins et de médicaments.

Trois mois après la naissance de mon fils, je me sentais en pleine forme et j'ai décidé de cesser progressivement de prendre des antidépresseurs qui venaient probablement tout juste de commencer à faire effet. Je voulais me prouver que j'étais forte et que je n'avais pas besoin de pilules. Quelques semaines après avoir cessé de prendre les médicaments, j'ai recommencé à faire de l'insomnie et quelques jours plus tard, on a découvert que ma mère avait un cancer. J'étais plutôt ignorante au sujet de la dépression et de son traitement et accablée à l'idée de perdre ma mère. Celle-ci est décédée le matin de Noël, alors que notre fils avait environ 5 mois. Les mois suivants se sont avérés très tristes.

C'est alors qu'un médecin m'a dit : «Vous n'avez pas à avoir honte de prendre des antidépresseurs. J'en prends moi-même.» Le fait d'avoir partagé cette simple confidence m'a fait respecter ce médecin pour avoir fait montre de son humanisme.

J'ai la chance de compter sur un mari attentionné, amoureux et d'une grande gentillesse. Le fait de continuer à prendre ma médication, de faire de l'exercice physique et de visiter fréquemment les amis en compagnie du bébé a joué un rôle important au niveau de ma guérison. La belle-famille et les amis sont devenus plus proches et ont partagé leurs propres expériences avec nous, ce qui m'a permis d'espérer une guérison.

Brigitte
Hudson, Québec

Ménopause et dépression

Les signes et les symptômes de la dépression débutent généralement avant la fin des menstruations et persistent parfois pendant une année complète.

Cette période transitoire pendant laquelle les niveaux d'hormones varient fréquemment est appelée périménopause. Au cours de cette période, beaucoup de femmes vivent plusieurs changements au niveau de leur corps et de leurs émotions, y compris des bouffées de chaleur, des troubles de sommeil et des variations d'humeur.

La ménopause ou la périménopause en soi ne causent pas la dépression. Cependant, les femmes qui ont des risques de dépression plus élevés en raison de facteurs génétiques ou autres sont susceptibles de connaître une dépression durant leurs années de ménopause et de périménopause, alors que leurs niveaux d'hormones sont variables.

Hormonothérapie de substitution

Des études indiquent que l'hormonothérapie de substitution (HTS) prescrite couramment pour soulager les symptômes associés à la ménopause, peut améliorer l'humeur des femmes souffrant de dépression légère. L'oestrogène supplémentaire de l'HTS contribue également à réduire les bouffées de chaleur et les troubles de sommeil. Il aide aussi à prévenir l'ostéoporose, une maladie entraînant une perte osseuse progressive, qui diminue la densité et l'épaisseur de l'os. Une étude commanditée par le *National Institute of Mental Health* a analysé le lien entre la dépression et les niveaux d'hormones. Celle-ci a révélé que la densité minérale des os des hanches des femmes qui avaient subi une dépression majeure était de 10 à 15 pour cent inférieure au taux normal pour leur âge. Une réduction de la densité osseuse augmente les risques de fracture de la hanche chez la femme.

L'hormonothérapie de substitution n'est habituellement pas suffisante pour soigner une dépression de modérée à grave. Votre médecin pourrait recommander une combinaison d'hormonothérapie et d'antidépresseurs, une psychothérapie ou les deux. Il est généralement plus sécuritaire d'opter pour une combinaison d'hormonothérapie et d'antidépresseurs.

Problèmes sociaux et culturels

Les facteurs biologiques ne sont pas les seuls responsables des pourcentages élevés de dépression chez les femmes. Les femmes sont susceptibles de vivre des tensions sociales et culturelles qui accroissent leur risque de dépression. Ces tensions sont également présentes chez les hommes, mais habituellement à un pourcentage moindre.

Pouvoir et statut inégaux. De façon générale, les femmes ont des salaires moins élevés et possèdent moins de pouvoir que les hommes. Les trois-quarts des gens vivant sous le seuil de pauvreté en Amérique du Nord sont des femmes et des enfants. Un statut socio-économique faible suppose de nombreux problèmes et tensions, y compris l'incertitude face à l'avenir et un accès plus limité à des ressources communautaires et médicales. Les femmes des minorités officielles sont également sujettes à la discrimination raciale.

Les gens, peu importe le sexe, lorsqu'ils sentent qu'ils n'ont pas le contrôle sur leur vie, sont susceptibles de ressentir certaines émotions comme la passivité, le négativisme et un manque de confiance en soi, ce qui les rend plus vulnérables à la dépression.

Surcharge de travail. Si on tient compte du fait que plusieurs femmes ont des emplois à l'extérieur et que ce sont généralement les femmes qui s'occupent de la plupart des tâches domestiques, on peut affirmer que celles-ci travaillent plus d'heures par semaine que les hommes. De plus, bon nombre de femmes doivent composer avec les défis et les tensions associés à leur état monoparental. Les femmes se trouvent parfois prises entre deux générations, s'occupant de leurs jeunes enfants et prenant soin de leurs parents âgés et malades.

Agressions sexuelles et physiques. Des études indiquent que les femmes agressées durant leur enfance sont plus susceptibles de vivre la dépression à un certain stade de leur existence que celles qui ne l'ont pas été. Des études révèlent également une incidence plus élevée au niveau de la dépression chez les femmes qui ont été violées lorsqu'elles étaient adolescentes ou jeunes adultes. Bien que les garçons et les jeunes hommes soient également victimes d'agressions sexuelles, le phénomène est beaucoup plus courant chez les adolescentes et les jeunes femmes.

Les femmes adultes peuvent également subir la violence conjugale, qu'il s'agisse de violence grave permanente, de violence psychologique ou des deux, de la part d'un partenaire, d'un conjoint ou d'un autre membre de la famille. Selon les statistiques les plus récentes fournies par le Ministère de la Justice, plus d'un million de cas de violence de la part de partenaires intimes ont été recensés en 1998 en Amérique du Nord, dont 85 pour cent des victimes sont de sexe féminin.

Subir la violence sexuelle et physique peut se traduire par une perte d'estime de soi et occasionner des maladies comme le trouble de stress post-traumatique.

Être en contrôle

Les tensions quotidiennes de la vie peuvent faire en sorte que certaines femmes se sentent prises dans un cycle sans fin. Les suggestions énumérées ci-dessous vous aideront à mieux composer avec le stress et à vous sentir plus en contrôle :

Soyez actif. Faire de l'exercice régulièrement augmente la confiance en soi et procure un sentiment d'accomplissement tout en favorisant le sommeil et en vous donnant l'énergie nécessaire à l'accomplissement de vos tâches quotidiennes.

Diversifiez vos activités. Participez à diverses activités dans différents environnements. Si les choses ne vont pas à votre goût dans un domaine en particulier, soit à titre d'exemple dans la vie familiale, vous pourrez tout de même vous sentir satisfait de vos succès dans d'autres domaines comme le travail ou des projets communautaires. Lorsque vous vous sentez abattu(e), concentrez vous sur un domaine qui vous procure une plus grande confiance en vos moyens.

Prenez du temps pour vous faire plaisir. C'est bien de s'occuper des autres, mais vous devez également penser à vous-même. Réservez-vous un peu de temps, chaque jour, pour vous détendre ou prendre part à des activités que vous aimez.

Soyez positif. Essayez d'accepter la vie telle qu'elle est, avec ses tensions, et essayez de trouver des moyens de composer avec le quotidien ou de pratiquer la pensée positive plutôt que de vous tourmenter.

Recherchez du soutien. Établissez un réseau composé d'amis ou de membres de la famille afin que chacun des membres de ce réseau puisse appuyer les autres membres lorsqu'ils traversent des périodes difficiles. Si vous êtes impliqué(e) dans une relation de violence, communiquez avec des professionnels de la santé ou des services sociaux afin d'obtenir des conseils et du soutien pour améliorer la relation ou y mettre un terme.

Avec l'aide vient l'espoir

Les femmes sont plus vulnérables face à la dépression, mais réagissent généralement bien au traitement et même une dépression grave peut souvent être traitée avec succès.

Croire que votre maladie est désespérée ou incurable peut être associé à votre dépression ou à des circonstances de la vie sur lesquelles vous avez peu de contrôle. Ne laissez pas ces sentiments vous empêcher de rechercher l'aide de professionnels. Le traitement de la dépression s'avère souvent un premier pas vers un changement et une amélioration de vos conditions de vie. Quand vous commencerez à ressentir un certain bien-être, vous prendrez confiance en vos moyens et trouverez l'énergie et la volonté nécessaires pour venir à bout des défis. Beaucoup de femmes ont surmonté la dépression et poursuivi une existence agréable et productive.

Chapitre 12

Aînés et dépression

Certaines personnes croient à tort que la dépression fait partie intégrante du vieillissement, car la dépression n'est pas inévitable. Toutefois, plusieurs facteurs associés au vieillissement tels les problèmes de santé, le stress financier et le décès d'amis et membres de la famille sont susceptibles d'augmenter les risques de dépression. Environ 15 pour cent des Nord-Américains du troisième âge, soit approximativement 6 millions d'hommes et de femmes âgés de 65 ans et plus vivent une dépression.

Une fois identifiée, la dépression est souvent traitée avec succès. Les aînés réagissent généralement aussi bien au traitement que les adultes plus jeunes.

Facteurs favorisant le développement de la dépression

Chez les aînés, les facteurs médicaux, psychologiques et sociaux suivants sont susceptibles de contribuer au développement de la dépression :

Maladie physique. La dépression est susceptible de survenir en même temps que certaines maladies associées à l'âge avancé comme l'Alzheimer ou le Parkinson, les accidents vasculaires cérébraux, les maladies cardiaques et le cancer. Certains symptômes de ces maladies peuvent s'ajouter à ceux de la dépression, et il arrive donc fréquemment que celle-ci ne soit pas diagnostiquée chez des aînés qui souffrent de divers problèmes de santé.

Médicaments. Certains médicaments peuvent déclencher une dépression et d'autres augmenter la vulnérabilité en modifiant les niveaux d'hormones ou par leur interaction avec d'autres médicaments. D'autres médicaments provoquent aussi la fatigue, laquelle conduit à un manque d'exercice physique, à une mauvaise alimentation et à l'isolement, des facteurs susceptibles de déclencher une dépression. Il arrive également que certaines personnes ne respectent pas, volontairement ou non, les doses prescrites ou prennent leurs médicaments avec de l'alcool, lequel est un dépresseur. Ce comportement est susceptible d'augmenter le risque de dépression.

Deuil. En vieillissant, il y a de fortes possibilités de vivre le décès d'un conjoint, d'un membre de la famille ou d'une amie, ainsi que la tristesse et le deuil associés à la mort.

Retraite. En 1900, les deux-tiers des hommes âgés de plus de 65 ans étaient encore au travail, alors qu'en 1990, seulement 16 pour cent des hommes et 7 pour cent des femmes continuaient de travailler à l'extérieur après 65 ans. Étant donné que les gens prennent leur retraite plus tôt et que l'espérance de vie a augmenté, la période entre la fin d'une carrière et le décès est plus longue. Beaucoup d'aînés vivent la transition travail-retraite avec facilité, mais d'autres ont plus de difficultés à s'y faire, particulièrement ceux qui ont associé le travail à l'estime de soi et à la réussite. La retraite est souvent synonyme de déménagement et de perte de relations solidement établies.

Réflexion. Avec l'âge, les gens ont tendance à méditer sur leur vie et leurs accomplissements. Certaines personnes deviennent tristes à l'idée de ne pas avoir réalisé leurs rêves ou déçues de ne pas avoir fait les choses différemment.

Confrontation avec la mort. Certaines personnes ont de la difficulté à accepter que leur vie soit presque terminée.

Reconnaître la dépression chez les personnes âgées

Une dépression non dépistée et non traitée peut avoir des conséquences fâcheuses sur la qualité de vie. Elle conduit à la perte de la santé physique, à la perte d'autonomie, et conséquemment à la dépendance en regard de son entourage. La dépression peut aussi être associée à un risque de décès prématuré chez les gens atteints de certains types de maladies cardiaques, y compris l'arythmie cardiaque et une réduction du débit sanguin au muscle cardiaque (maladies coronariennes).

En vieillissant, il devient parfois plus difficile de reconnaître la dépression. Vous ou votre médecin pourriez attribuer à la maladie des symptômes de dépression comme une baisse d'énergie et des changements au niveau de la mémoire et de la concentration, une irritabilité inhabituelle, une perte d'appétit et des troubles de sommeil. De plus, à l'instar de nombreuses personnes âgées, vous avez sans doute connu une époque où toute forme de maladie mentale était stigmatisée. Si c'est le cas, vous aurez tendance à parler de douleurs, mais omettrez de mentionner que vous vous sentez triste, démunie ou inutile. Les personnes atteintes de dépression à un âge avancé ont également tendance à vivre d'autres changements comme la perte d'intérêt pour des activités habituelles, une augmentation de la consommation d'alcool, l'isolement, une plus grande anxiété et de la méfiance à l'égard d'autrui.

Alzheimer, Parkinson et dépression

Les maladies d'Alzheimer et de Parkinson sont assez courantes chez les personnes âgées. Certains symptômes associés à ces maladies sont similaires à ceux de la dépression, et il est alors difficile de déterminer si une personne est atteinte de la maladie d'Alzheimer précoce, de la maladie de Parkinson précoce, d'une dépression ou d'une combinaison de ces maladies. Voilà pourquoi un psychiatre fait souvent partie de l'équipe qui pose le diagnostic.

Maladie d'Alzheimer et dépression

Il est important de faire la distinction à savoir si une personne est déprimée, atteinte de la maladie d'Alzheimer précoce ou les deux afin de déterminer le traitement le plus approprié. Vous trouverez ci-dessous une liste de quelques-unes des différences entre la dépression et la maladie d'Alzheimer précoce, susceptibles d'aider à établir un diagnostic :

- Une personne dépressive fera peu d'efforts pour bien performer dans les tests d'évaluation de la mémoire utilisés par les médecins. Une personne non déprimée mais susceptible d'être atteinte de la maladie d'Alzheimer fait généralement preuve de coopération et essaie de répondre aux tests au mieux de sa connaissance.

- Une personne dépressive n'appréciera pas des expériences normalement agréables ou intéressantes. En revanche, une personne atteinte de la maladie d'Alzheimer continuera habituellement d'apprécier les activités qu'elle a toujours trouvé intéressantes avant sa maladie.

- Une personne dépressive continuera de parler, de comprendre le langage et d'exécuter des activités motrices usuelles sans difficulté. Une personne atteinte de la maladie d'Alzheimer précoce aura de la difficulté à s'exprimer, à identifier des objets, à écrire ou à comprendre le langage. Elle aura également peine à exécuter des activités motrices comme se vêtir.

• Une personne dépressive réagit souvent de façon favorable aux antidépresseurs, alors qu'une autre atteinte de la maladie d'Alzheimer précoce non accompagnée d'une dépression ne réagit généralement pas aux antidépresseurs. Toutefois, quelqu'un atteint de la maladie d'Alzheimer précoce et souffrant aussi d'une dépression peut améliorer un peu son état en prenant des antidépresseurs. Les symptômes de la dépression seront moins importants, mais la médication ne traite pas les manifestations de la maladie d'Alzheimer.

La maladie de Parkinson et la dépression

Environ 40 pour cent des gens atteints de la maladie de Parkinson développent également une dépression. Chez ces individus, une fois sur quatre, les symptômes de dépression se poursuivent pendant des mois ou même des années avant que la maladie de Parkinson ne soit diagnostiquée. Bien que les restrictions physiques résultant de la maladie de Parkinson puissent être frustrantes et stressantes, la dépression, chez une personne atteinte du Parkinson, n'est généralement pas occasionnée par son invalidité physique. Celle-ci semble davantage résulter des changements dans le cerveau, lesquels sont associés à la maladie de Parkinson.

Comme pour la maladie d'Alzheimer, la dépression est difficile à diagnostiquer chez les personnes souffrant du Parkinson parce que les symptômes des deux maladies, perte d'énergie, troubles du sommeil, mouvements lents et troubles de la parole, s'avèrent parfois similiaires. L'appétit est un des meilleurs moyens de distinguer les symptômes de la maladie de Parkinson de ceux de la dépression. Les personnes atteintes de la maladie de Parkinson qui ne sont pas déprimées ont généralement un bon appétit, même si elles sont susceptibles de perdre du poids.

L'intérêt pour certaines activités et le plaisir de les pratiquer distingue également la personne atteinte du Parkinson de la personne dépressive. Bien que certaines personnes atteintes de la maladie de Parkinson soient susceptibles d'éprouver des frustrations en raison de leurs limites physiques, et conséquemment d'éviter de pratiquer certaines activités, elles continuent quand même de s'intéresser à ces activités. Quant à la personne dépressive, elle n'a habituellement plus envie de pratiquer des activités qui lui étaient agréables autrefois, car elle ne les trouve plus intéressantes.

Accident vasculaire cérébral et dépression

L'accident vasculaire cérébral se produit lorsqu'un vaisseau sanguin du cerveau se brise ou est obstrué, endommageant le tissu cérébral. Il touche fréquemment les personnes âgées et occasionne des complications de légères à graves. Selon la partie du cerveau touchée, il peut en résulter différents types de faiblesse musculaire, ainsi que des problèmes d'élocution et de mémoire.

Il existe des liens étroits entre l'accident vasculaire cérébral et la dépression. Jusqu'à la moitié des personnes qui ont vécu un accident vasculaire cérébral ont subi une dépression dans un délai de 2 ans après l'accident vasculaire cérébral. Les risques de dépression ne sont pas proportionnels au niveau d'invalidité physique causé par l'accident vasculaire cérébral. Certaines personnes aux prises avec de légères difficultés sont susceptibles de devenir dépressives, alors que d'autres qui ont éprouvé de graves problèmes physiques ne sombrent dans la dépression. Les recherches indiquent que la région où se produit l'accident vasculaire cérébral peut servir à prédire une dépression. Les accidents vasculaires cérébraux qui se produisent dans la partie frontale gauche du cerveau mènent plus souvent à la dépression que les AVC touchant d'autres régions du cerveau.

Comme pour les autres types de dépression, celle qui suit un accident vasculaire cérébral peut être traitée efficacement avec des médicaments, une psychothérapie ou les deux. Malheureusement, la dépression reste souvent non décelée chez ce groupe de personnes. Les médecins, les membres de la famille et les gens qui récupèrent d'un accident vasculaire cérébral peuvent croire à tort que des symptômes de dépression sont normaux dans ces circonstances. Une des raisons pour lesquelles il est important de traiter la dépression, c'est qu'un traitement efficace peut permettre à un individu d'augmenter ses chances de se rétablir des conséquences physiques de l'accident vasculaire cérébral.

Traitement de la dépression chez les personnes âgées

Plus de 80 % des personnes âgées dépressives améliorent leur condition en suivant un traitement. Les antidépresseurs sont fréquemment utilisés, car ils sont généralement efficaces et la plupart des utilisateurs connaissent peu, sinon aucun effet secondaire, particulièrement avec la nouvelle génération d'antidépresseurs. Pour réduire vos risques d'effets secondaires, votre médecin pourrait vous recommander de commencer par une faible dose de médicaments et d'augmenter graduellement la dose. Des doses plus faibles d'antidépresseurs pourraient s'avérer adéquates, car en vieillissant le corps a tendance à métaboliser les médicaments plus lentement.

La psychothérapie est souvent profitable et peut s'avérer le traitement de première intervention dans le cas d'une dépression légère à modérée, surtout si un médecin est préoccupé des effets secondaires potentiels ou des interactions médicamenteuses découlant de l'ajout d'une nouvelle médication au mélange de médicaments que vous prenez déjà. La thérapie par électrochocs (ECT) est généralement recommandée si vous souffrez d'une dépression modérée à grave et que vous n'avez pas réagi favorablement à d'autres traitements. La thérapie ECT est sécuritaire et souvent aussi efficace chez les personnes âgées que chez les adultes plus jeunes.

Gérer la dépression

Lorsque vos symptômes seront sous contrôle et que vous vous sentirez mieux, voici quelques suggestions susceptibles de vous aider à prévenir un autre épisode dépressif. (Ils peuvent également aider à prévenir un premier épisode dépressif). D'autres stratégies de gestion de la dépression sont énumérées au chapitre 10.

Renouvelez votre cercle d'amis. Maintenant que vous êtes retraité, vous et votre conjoint passerez beaucoup plus de temps ensemble qu'auparavant.

Par conséquent, vous devrez revoir vos habitudes et vos attentes. Vos relations avec les membres de votre famille et vos amis pourraient également changer. Voyez ces changements d'un oeil positif.

Ayez une vie sociale active. Allez prendre un café avec des amis, planifiez des activités avec des voisins et des membres de votre famille. Si vous ne savez plus quoi faire, livrez-vous à un nouveau passe-temps, prenez un cours d'informatique ou faites du bénévolat auprès d'un organisme de votre localité. Si vous vivez seul et que vous avez peu de contacts sociaux, informez-vous auprès des ressources communautaires de votre municipalité ou déménagez dans un complexe d'habitation pour personnes âgées, où vous aurez plus d'occasions d'établir des relations interpersonnelles.

Faites de l'exercice physique. Si votre santé vous le permet, faites une marche tous les jours, joignez-vous à un cours d'éducation physique pour personnes du troisième âge ou inscrivez-vous dans un club de golf. Toutefois, vous devez consulter votre médecin pour vous assurer que vous pouvez augmenter vos activités physiques sans danger.

Soyez prudent avec vos médicaments. Prenez tous vos médicaments tels que prescrits par votre médecin et assurez-vous d'informer votre médecin et votre pharmacien de tous les médicaments que vous prenez.

Chapitre 13

Enfants, adolescents et dépression

Au cours des vingt dernières années, les professionnels en santé mentale ont fait un effort concerté pour reconnaître et mieux comprendre les troubles de l'humeur chez les enfants et les adolescents. À un moment donné, les médecins ont cru que les enfants et les adolescents n'avaient pas la maturité mentale nécessaire pour connaître une dépression. Toutefois, les chercheurs ont découvert que la dépression est fréquente chez les enfants et les adolescents et que les jeunes sont sujets aux mêmes types de dépression que les adultes. De plus, il arrive souvent que la dépression ne soit pas identifiée ou traitée chez les enfants et les adolescents.

Voici quelques statistiques à ce sujet :

- En Amérique du Nord, 1 enfant sur 33 et 1 adolescent sur 8 sont susceptibles de vivre une dépression. En tout temps, 3 pour cent des enfants et des adolescents sont victimes d'une dépression.
- Une fois qu'un enfant ou un adolescent a vécu un épisode dépressif, il a 50 pour cent plus de chances d'en vivre un autre au cours des 5 années suivantes.
- Les deux tiers des jeunes qui souffrent de maladies mentales n'obtiennent pas l'aide dont ils ont besoin.
- Le suicide est la troisième cause de décès chez les 15 à 24 ans et la sixième chez les jeunes de 5 à 15 ans.
- Depuis 1960, le taux de suicide a triplé chez les 5 à 24 ans.

Lorsque des enfants et des adolescents vivent une dépression non traitée, les relations familiales en souffrent et leur développement social risque d'en souffrir. Ils ont des difficultés à l'école, consomment de l'alcool ou de la drogue et sont susceptibles de commettre des gestes suicidaires. Cependant, il y a un espoir, car l'identification précoce et le traitement rapides d'une dépression chez les enfants et les adolescents en réduit la durée, la gravité et le risque de complications.

Symptômes à surveiller

De façon générale, la dépression est diagnostiquée de la même façon chez les enfants et les adolescents que chez les adultes. Toutefois, la manifestation des symptômes dépressifs chez les enfants et les adolescents comporte certaines différences avec celles des adultes. Il est difficile de déceler des symptômes de dépression chez les enfants et les adolescents, car ceux-ci sont souvent attribués à d'autres causes, comme une période de croissance ou des changements hormonaux.

De plus, bon nombre de comportements associés à la dépression chez les jeunes sont souvent des réactions normales pour des enfants et des adolescents. Ainsi, presque tous les jeunes contredisent leurs parents ou leurs enseignants ou refusent à l'occasion d'exécuter des tâches. C'est la quantité de symptômes présentés par un enfant ou un adolescent, leur durée et leur gravité dont les professionnels de la santé mentale tiennent compte pour déterminer si un enfant ou un adolescent est déprimé. Vous trouverez ci-dessous une liste des principaux symptômes observables chez des jeunes appartenant à trois différentes catégories d'âge :

un enfant d'âge préscolaire :

• est apathique ;

• n'est pas intéressé par le jeu ;

• pleure facilement et souvent.

Un enfant qui fréquente l'école primaire :

• est apathique et d'humeur changeante ;

• est plus irritable que d'habitude ;

• a l'air triste ;

• se décourage facilement ;

• se plaint de l'ennui ;

• est plus distant avec les membres de sa famille et ses amis ;

• a de la difficulté avec ses travaux scolaires ;

• parle beaucoup de la mort.

Un adolescent :

• est toujours fatigué ;
• s'abstient de participer à ses activités préférées ;
• se dispute davantage avec ses parents ou ses enseignants ;
• refuse d'exécuter des travaux domestiques ou des devoirs ;
• adopte des comportements dangereux comme se couper ;
• a des idées suicidaires.

Les enfants et les adolescents développent également un type de dépression différent (atypique) d'une autre dépression en ce sens que leur humeur s'améliore pendant de courtes périodes, pendant lesquelles ils éprouvent un certain plaisir par rapport aux événements positifs. Ceci contraste avec les formes les plus courantes de dépression dans lesquelles l'humeur est constamment maussade et la personne dépressive ne réagit pas facilement aux événements positifs.

Votre enfant est-il à risque ?

Chez les enfants, les garçons et les filles semblent avoir les mêmes risques de subir une dépression. Lorsqu'elles atteignent l'adolescence, les filles deviennent cependant deux fois plus sujettes que les garçons à subir une dépression. Les femmes continuent d'être plus à risque que les hommes jusqu'à la ménopause.

Les recherches indiquent que les gênes, les hormones sexuelles, les problèmes psychologiques et les tensions sociales sont tous reliés au taux de dépression plus élevé des adolescentes. L'hérédité peut jouer un rôle déterminant, car les parents des jeunes qui vivent une dépression en ont souvent subi une eux-mêmes quand ils étaient plus jeunes. Les adolescents dépressifs sont également plus susceptibles de provenir d'une famille ayant des antécédents au niveau de la dépression.

En plus de l'histoire familiale, les facteurs suivants sont susceptibles d'augmenter les risques de dépression chez un enfant ou un adolescent :

• vit un stress important ;
• être victime d'abus ou de négligence ;
• vit la mort d'un parent ou d'une autre personne qui lui est chère ;
• rompt une relation ;
• être atteint d'une maladie chronique comme le diabète ;
• subit un autre traumatisme ;
• présente des troubles de comportement ou d'apprentissage.

Vérification des symptômes de dépression à l'intention des parents

Vous trouverez ci-dessous une liste des signes et symptômes de dépression fréquents chez les enfants et les adolescents. Vous pourrez l'utiliser pour recueillir de l'information concernant les sentiments de votre enfant, sa façon de penser, ses problèmes physiques, comportementaux et les risques de suicide.

Sentiments – Votre enfant manifeste-t-il des comportements reflétant de la (ou du) :
- ❑ Tristesse ?
- ❑ Vide ?
- ❑ Désespoir ?
- ❑ Culpabilité ?
- ❑ Inutilité ?
- ❑ Aucun entrain pour les plaisirs quotidiens ?

Pensée – Votre enfant a-t-il de la difficulté à :
- ❑ Se concentrer ?
- ❑ Prendre des décisions ?
- ❑ Compléter ses travaux scolaires ?
- ❑ Maintenir de bonnes notes ?
- ❑ Conserver des amitiés ?

Problèmes physiques – Votre enfant se plaint-il de :
- ❑ Maux de tête ?
- ❑ Maux de ventre ?
- ❑ Manque d'énergie ?

Maladies apparentées

Les enfants et les adolescents qui vivent une dépression sont souvent atteints d'une autre maladie mentale. Parmi les maladies susceptibles de sévir en même temps que la dépression, on retrouve :

Troubles alimentaires. Les filles sont plus susceptibles de développer une anorexie nerveuse ou une boulimie nerveuse que les garçons. Plusieurs adolescentes souffrant d'anorexie nerveuse vivent une grave dépression. Elles se voient comme étant grosses, et ce même si elles sont d'une maigreur inquiétante. Contrôler le peu de nourriture qu'elles ingurgitent devient une véritable obsession, ce qui se traduit souvent

❑ Problèmes de sommeil (trop ou trop peu)?

❑ Changements au niveau de l'appétit (gain ou perte)?

Problèmes de comportement – Votre enfant est-il :

❑ Irritable?

❑ Refuse-t-il d'aller à l'école?

❑ Manifeste-t-il le désir d'être seul la majeure partie du temps?

❑ A-t-il des problèmes à s'entendre avec les autres?

❑ Sèche-t-il ses cours?

❑ S'abstient-il de participer à des activités sportives, des loisirs ou d'autres types d'activités?

❑ Consomme-t-il de l'alcool ou des drogues?

Risques de suicide – Votre enfant parle-t-il ou pense-t-il :

❑ Au suicide?

❑ À la mort?

❑ À d'autres sujets morbides?

Si votre enfant manifeste cinq de ces signes ou symptômes ou davantage pendant au moins 2 semaines, il souffre peut-être d'une dépression ou d'une autre maladie mentale. Prenez un rendez-vous avec votre médecin de famille, le médecin de votre enfant ou un professionnel en santé mentale. Notez la durée des signes et des symptômes, leur fréquence et donnez des exemples. Cette information permettra au médecin ou au thérapeute de mieux comprendre l'état émotif de votre enfant.

Source : Modifié à partir de l'ouvrage *Parent's Survival Guide to Childhood Depression* de Dubuque S.E.A. (*King of Prussia, PA : Center for Applied Psychology, 1996*).

par des habitudes alimentaires anormales comme la consommation d'infimes quantités de quelques aliments. Les anorexiques nerveuses font de l'exercice physique de façon compulsive, vomissent, utilisent des laxatifs ou prennent d'autres médicaments pour contrôler leur poids.

La boulimie nerveuse se caractérise par un appétit incontrôlable, puis une purge alimentaire afin d'éviter de gagner du poids. Elle est souvent associée à la dépression et a tendance à se manifester dans les familles où un ou plusieurs membres ont déjà subi une dépression.

Anxiété. Certains enfants sont très anxieux. Ils craignent l'avenir, sont tourmentés par des expériences qu'ils ont vécu ou ont peur de ne pas être capables de composer avec le présent. Les problèmes d'anxiété sont très variables en termes de gravité. Certains enfants sont capables de composer avec leur anxiété et de bien fonctionner, alors que d'autres ont toutes les peines du monde. Comme les adultes, les jeunes peuvent vivre des formes spécifiques d'anxiété comme le trouble obsessionnel-compulsif ou des attaques de panique. Si votre enfant souffre d'anxiété, il peut :

- être très gêné ;
- avoir continuellement besoin d'être rassuré ;
- sembler tendu et incapable de se détendre ;
- se préoccuper exagérément de son apparence.

Les signes physiques comprennent :

- se ronger les ongles ;
- sucer son pouce ;
- tirer ou tordre ses cheveux ;
- des problèmes de sommeil.

Les enfants anxieux semblent trop matures. Ils visent la perfection et sont extrêmement sensibles à la critique, ce qui fait qu'ils sont souvent blessés. Même s'ils ont des relations interpersonnelles chaleureuses et attentionnées, ils sont préoccupés par le succès et l'obligation d'être acceptés et appréciés. Cette anxiété est parfois le résultat d'une trop forte pression des parents qui veulent voir leurs enfants réussir.

Toxicomanie. Malheureusement, dans la société actuelle, la plupart des jeunes sont exposés à l'alcool et aux drogues à un certain stade de leur croissance. Plusieurs essaient ces substances et certains y développent une accoutumance. Bien qu'il nous reste encore beaucoup à apprendre au sujet de la toxicomanie pour ce groupe d'âge, plusieurs facteurs sont susceptibles d'augmenter la vulnérabilité d'un enfant. Cependant, ce sont les antécédents familiaux, soit un ou plusieurs membres de la famille qui ont connu une dépendance chimique, qui représentent le facteur le plus à risque quant à la toxicomanie.

Chez l'enfant et l'adolescent, plusieurs des signes et des symptômes d'abus d'alcool ou de drogues sont similaires à ceux de la dépression :

- il est distrait, renfermé, d'humeur instable ;
- sèche ses cours ou a soudainement de mauvais résultats scolaires ;
- fait des appels téléphoniques en secret ou organise des rencontres mystérieuses ;
- dort plus ou moins que d'habitude ;
- perte de poids sans raison apparente ;

- emprunte ou vole fréquemment de l'argent ;
- ne s'entend plus aussi bien avec des membres de sa famille ou des amis de longue date ;
- s'est fait de nouveaux amis et leur est très fidèle.

Syndrome de stress post-traumatique. Les enfants et les adolescents qui survivent à une expérience terrifiante comme une fusillade à l'école, un incendie, un grave accident d'automobile ou une agression sexuelle ou physique sont susceptibles de développer des problèmes émotionnels et comportementaux persistants en raison du traumatisme subi. Ils développent des symptômes comme des maux de tête, de ventre ou éprouvent des problèmes de sommeil. Leurs réactions face au traumatisme sont différentes des adultes. Ils peuvent :

- avoir peur de quitter leurs parents ou craindre de les perdre, et par conséquent, ne pas avoir envie d'essayer de nouvelles choses ;
- revivre leur expérience traumatisante par l'intermédiaire d'un jeu symbolique ou par leur comportement ;
- agir comme ils le faisaient lorsqu'ils étaient plus jeunes.

Les jeunes qui souffrent de stress post-traumatique sont souvent portés à se culpabiliser et endossent la responsabilité de ce qui s'est produit, même s'ils n'auraient rien pu faire pour éviter l'événement. Ils peuvent se sentir désespérés et pessimistes face à l'avenir, même si l'expérience traumatisante a eu lieu il y a plusieurs années. Les enfants et les adolescents qui ont souffert précédemment d'une dépression, d'une anxiété ou qui ont subi une perte, sont ceux qui présentent le plus de risques de développer un syndrome de stress post-traumatique. Pour obtenir plus d'information sur les maladies associées , veuillez consulter le chapitre 14 .

Traitement de la dépression chez les jeunes

Plus la dépression est décelée et traitée rapidement, plus les chances de guérison sont élevées. Même si les enfants et les adolescents affichent un taux de guérison élevé suite à un épisode dépressif isolé, ils sont néanmoins sujets à des rechutes.

Les médicaments, la psychothérapie ou une combinaison des deux sont les traitements les plus fréquemment administrés aux enfants et aux adolescents pour combattre la dépression. Les opinions sont diverses quant au type de traitement à utiliser en premier. Les statistiques indiquent que de plus en plus, la meilleure approche pour la plupart des jeunes consiste en une combinaison de médicaments et d'une thérapie cognitivo-comportementale. L'approche combinée est particulièrement importante dans le cas d'une dépression grave.

Médication

Jusqu'à récemment, les médecins ont hésité à prescrire des antidépresseurs aux enfants et aux adolescents, car il existait peu de preuves quant à la sécurité et à l'efficacité de ces médicaments chez les jeunes. Cependant, des études récentes indiquent que les nouveaux antidépresseurs, particulièrement les inhibiteurs spécifiques de la recapture de la sérotonine, sont sécuritaires et efficaces. Des recherches additionnelles seront toutefois nécessaires pour évaluer les conséquences de leur utilisation à long terme chez les enfants et les adolescents. Les antidépresseurs sont souvent combinés à la psychothérapie. Certaines études indiquent que ce double usage peut s'avérer plus efficace que des antidépresseurs pris seuls.

Les antidépresseurs constituent généralement le premier choix de traitement lorsqu'un enfant ou un adolescent :

- présente des symptômes graves qui ne sont pas soulagés par la psychothérapie ;
- n'a pas un accès immédiat à la psychothérapie ;
- souffre d'une psychose ou d'un trouble bipolaire ;
- souffre d'une dépression chronique ou d'épisodes dépressifs récurrents.

Il est généralement préférable de continuer à prendre la médication pendant plusieurs mois après que les symptômes ont commencé à diminuer afin de prévenir une rechute. Lorsqu'il sera temps de cesser de prendre le médicament, diminuez lentement la dose sur une période de quelques semaines ou quelques mois avec la supervision de votre médecin. Si la dépression revient, particulièrement durant la période pendant laquelle vous avez commencé à diminuer la dose ou peu de temps après, il est habituellement nécessaire de recommencer à prendre le médicament.

Psychothérapie

Certains types de psychothérapies à court terme, particulièrement la thérapie cognitivo-comportementale se sont avérés efficaces pour soulager les symptômes dépressifs chez les enfants et les adolescents. Lorsqu'un enfant ou un adolescent est déprimé, il a souvent une vision déformée et

Le trouble bipolaire chez les jeunes

Le trouble bipolaire, également appelé psychose maniacodépressive, est moins fréquent chez les adolescents que les adultes et affecte rarement les enfants. Il comporte des variations extrêmes au niveau de l'humeur qui passe de l'euphorie (manie) à la dépression. L'enfant ou l'adolescent a plus de chances de développer cette maladie lorsqu'un de ses parents en souffre.

De 20 à 40 pour cent des adolescents vivant une dépression majeure développent un trouble bipolaire en l'espace de 5 ans après l'apparition de la dépression. Lorsque le trouble bipolaire commence à l'enfance, il semble que la maladie soit beaucoup plus grave que si elle commence à l'adolescence ou au début de l'âge adulte.

Si votre enfant manifeste les symptômes suivants, il devrait être examiné par un psychiatre ou un psychologue qui possède de l'expertise au niveau du trouble bipolaire, particulièrement lorsqu'il y a eu des antécédents familiaux en matière de dépression :

- une dépression ;
- un niveau d'énergie anormalement élevé associé à des problèmes de concentration ;
- des accès de colère et des variations d'humeur excessives.

Il est important d'obtenir un diagnostic précis, car les médicaments prescrits pour d'autres formes de maladies mentales, y compris certains antidépresseurs, sont susceptibles d'aggraver ou de déclencher la manie. Pour prévenir la manie, un antidépresseur doit être combiné avec un régulateur de l'humeur comme le lithium (Carbolith) ou l'acide valproïque (Epival). Le dilemme consiste à traiter efficacement et sans danger le trouble bipolaire chez les enfants et les adolescents. Actuellement, leur traitement est basé sur celui qui est appliqué aux adultes. Bien que les connaissances concernant l'efficacité et la sécurité des médicaments pour adultes, lorsqu'ils sont administrés aux enfants et aux adolescents demeurent limitées, des études sérieuses ont été complétées et d'autres recherches sont en cours.

négative des choses, ce qui renforce la dépression. La thérapie cognitivo-comportementale aide les jeunes gens à développer une image plus positive d'eux-mêmes, du monde et de leurs conditions de vie. Les recherches indiquent que ce type de thérapie semble s'avérer plus efficace que la thérapie de groupe ou la thérapie familiale. La thérapie cognitivo-comportementale est également plus rapide que d'autres formes de psychothérapie.

Les professionnels en santé mentale se doivent d'utiliser une approche différente de celle qu'ils adoptent avec les adultes et les adolescents lorsqu'ils travaillent avec des enfants. Ainsi, un thérapeute utilisera les dessins et les histoires d'un enfant pour l'aider à exprimer ses sentiments et ses problèmes.

Un thérapeute peut parfois recommander une psychothérapie continue pour une certaine période, une fois que les symptômes dépressifs sont disparus. Cette précaution permet à l'enfant ou à l'adolescent d'apprendre à composer encore mieux avec ses problèmes et de réduire les risques de rechute. Le thérapeute peut également procéder à une détection précoce et à un traitement rapide si la dépression refait surface.

Enseignement à l'enfant et aux parents

Un des aspects importants du traitement de la dépression chez les jeunes gens consiste à informer l'enfant et les parents sur la maladie et sur son traitement. Il est évident que vous aurez de nombreuses questions et préoccupations. N'hésitez pas à poser des questions à votre médecin de famille ou à un professionnel en santé mentale. Plus vous en saurez sur la maladie, plus le traitement sera bénéfique.

Mettre l'accent sur l'intervention précoce

Suite à l'augmentation du taux de dépression chez les enfants et les adolescents, des efforts supplémentaires ont été faits en vue de réduire la dépression chez ce groupe d'âge. Des études indiquent que le traitement précoce d'une dépression légère à modérée aide à prévenir une dépression grave et d'autres maladies apparentées, comme la toxicomanie et les troubles alimentaires.

D'autres études indiquent que la thérapie cognitivo-comportementale, combinée à une méthode de relaxation ou à la résolution de problèmes en groupe est souvent utile dans la prévention de rechutes de dépression pour une période de 9 à 24 mois, suite à un traitement, chez les jeunes gens dépressifs.

Une intervention dans le but d'informer la famille semble contribuer à réduire les risques d'un premier épisode dépressif ou d'autres maladies mentales chez les enfants et les adolescents dont les risques sont élevés en raison d'antécédents familiaux.

Chapitre 14

Dépression
et maladies associées

T el que discuté au cours des chapitres précédents, la dépression
n'arrive jamais seule. Elle accompagne souvent d'autres maladies mentales et plus fréquemment un problème d'anxiété, des
troubles alimentaires et de la personnalité, et la toxicomanie.

Lorsqu'il est question de maladies associées, il est difficile de comprendre la relation entre les deux maladies. Se sont-elles développées
séparément, puis coexistent actuellement ? Se renforcent-elles l'une
l'autre, chacune des maladies aggravant l'autre ? Un des troubles a-t-
il conduit à l'autre ? Lequel s'est manifesté le premier ?

Lorsque la dépression et une autre maladie mentale sont combinées,
le traitement peut s'avérer plus difficile. Le premier défi qui se dresse
au niveau du traitement des maladies associées consiste d'abord à
reconnaître la présence des deux maladies. Ainsi, quelqu'un pourrait
souffrir d'un problème d'anxiété non décelé depuis longtemps et voir
ce problème compliqué par l'apparition d'une dépression. Cette personne voudra se faire traiter pour une dépression, mais tant et aussi longtemps que le problème d'anxiété ne sera pas identifié et traité efficacement, la dépression persistera ou réapparaîtra. Une personne souffrant
de dépression pourrait tenter de s'autoguérir en consommant une quantité excessive d'alcool, des drogues interdites ou de grandes quantités
de médicaments sur ordonnance. Lorsqu'un médecin n'est pas informé
des habitudes de toxicomanie du patient, il ne peut en tenir compte au
niveau du traitement et les chances de rétablissement s'en trouvent
réduites. Le seul moyen de démêler l'interdépendance complexe des
maladies associées consiste à identifier et à traiter les deux maladies.

Anxiété et dépression

Le terme anxiété, tout comme dépression, comporte plusieurs significations. Dans l'usage courant, il se rapporte à des sentiments fréquents et naturels que vous êtes susceptible de ressentir de temps à autre lorsque confronté au stress. Le respect d'un échéancier serré, conduire par mauvais temps ou courir avec vos enfants d'un endroit à un autre peuvent générer des sentiments de tension. L'anxiété est parfois un symptôme ou une forme de maladie mentale qui fait en sorte que vous êtes tendu la plupart du temps ou que vous le devenez facilement lorsque vous composez avec des situations courantes.

L'anxiété accompagne souvent la dépression. Jusqu'à 50 pour cent des personnes dépressives vivent de l'anxiété. Cette anxiété diminue souvent lorsque ces personnes sont traitées. Le traitement le plus efficace pour soigner une dépression accompagnée d'anxiété s'avère une combinaison de médicaments et de psychothérapie. Une anxiété qui n'est pas accompagnée d'une dépression est généralement liée à un trouble anxieux:

Trouble anxieux généralisé. Des craintes et inquiétudes récurrentes ou excessives caractérisent généralement le trouble anxieux généralisé. Vous vous inquiétez constamment de quelque chose. Votre vie est minée par un sentiment de doute en vos capacités et un manque d'esprit de décision, en plus d'avoir le sentiment que quelque chose de désagréable va se produire. Lorsque vous n'avez aucune source d'inquiétude, votre existence se déroule généralement bien.

Angoisse sociale. Les personnes qui ont excessivement peur des situations sociales souffrent d'un trouble d'angoisse sociale également appelé phobie sociale. Vous devenez anxieux lorsque vous êtes entouré de gens que vous ne connaissez pas ou lorsque vous craignez une situation en particulier, comme parler devant d'autres personnes. Il existe aussi d'autres types de phobies comme la peur de voler, des hauteurs, de certains animaux et des espaces renfermés.

Trouble obsessionnel-compulsif. Les personnes souffrant d'un trouble obsessionnel-compulsif sont prises d'obsessions ou de compulsions persistantes et incontrôlables ou des deux. Les obsessions sont des pensées persistantes, incontrôlables, comme la crainte récurrente de commettre une erreur. Les compulsions sont des comportements incontrôlables. Parmi les comportements compulsifs les plus fréquents, on retrouve les gens qui se lavent les mains à une fréquence excessive ou qui nettoient constamment la maison pour se débarrasser des germes ou encore vérifient à plusieurs reprises si leur porte est bien verrouillée.

Panique. Les crises de panique génèrent des sentiments soudains et intenses de terreur sans raison apparente, pendant lesquels la personne qui en est atteinte a des palpitations cardiaques, transpire et peut avoir l'impression qu'elle va mourir. Environ la moitié des gens qui subissent des crises de panique connaissent au moins un épisode dépressif.

Syndrome de stress post-traumatique. Les personnes qui ont subi un traumatisme physique ou émotionnel comme une catastrophe naturelle ou un crime violent sont susceptibles de développer un syndrome de stress post-traumatique. Vous pourriez revoir des scènes de l'événement qui affectent sérieusement vos pensées, vos sentiments et votre comportement. Il existe de plus en plus de preuves à l'effet que la dépression se développerait suite à un syndrome de stress post-traumatique prolongé, mais la dépression est également susceptible de précéder le syndrome.

Toxicomanie et dépression

Des études révèlent que la moitié des gens qui ont fait des abus d'alcool ou de drogues souffrent d'une autre maladie mentale ou en ont subi une autre dans le passé. Environ 20 pour cent des gens qui font des abus de drogues vivent une dépression grave ou en ont déjà subi une. Environ 30 pour cent des personnes qui font des abus d'alcool satisfont aux critères médicaux de la dépression.

La première question qui nous vient à l'esprit est la suivante : pourquoi le nombre de toxicomanes est-il si élevé ? Malheureusement, la réponse n'est pas évidente. Les chercheurs savent que les substances générant une dépendance agissent sur plusieurs des neurotransmetteurs du cerveau qui influencent l'humeur. Certains experts croient que les gens qui font un usage abusif d'alcool ou de drogues essaient de « régulariser » leurs neurotransmetteurs afin de se sentir mieux. Toutefois, cet effort est désastreux puisque même de faibles quantités d'alcool ou de drogues peuvent déclencher ou aggraver la dépression.

La toxicomanie et la dépression doivent être soignées concurremment pour que votre traitement soit réussi. Malheureusement, ce n'est pas toujours le cas. Ainsi, vous pourriez suivre un traitement pour toxicomanie sans que votre dépression ne soit décelée et traitée. Il est également possible qu'un professionnel traite votre dépression, mais ne solutionne pas, peut-être parce qu'il ne l'a pas identifié, votre problème de toxicomanie.

Le traitement pour l'alcoolisme et la toxicomanie commence généralement par un arrêt supervisé de la consommation de la substance qui pose problème et une abstinence prolongée. Le traitement comporte d'autres aspects comme le soutien professionnel, l'éducation, la psychothérapie et parfois l'usage de médicaments. Le traitement pour guérir la dépression a peu de chances d'être efficace si vous n'avez pas d'abord solutionné vos problèmes de toxicomanie. Il n'est pas rare que les symptômes dépressifs disparaissent pendant le traitement pour la toxicomanie sans avoir à recourir à des antidépresseurs.

Troubles alimentaires et dépression

Si vous souffrez d'un trouble alimentaire, il est possible que vous soyez également dépressif. De 50 à 75 pour cent des personnes qui sont atteintes d'anorexie ou de boulimie nerveuse ont déjà subi une dépression et plus de 50 pour cent des gens qui souffrent d'un trouble de consommation alimentaire excessive présentent également des symptômes de dépression.

Anorexie nerveuse. Les personnes atteintes d'anorexie nerveuse se voient comme étant obèses, même si leur poids est insuffisant et prennent les grands moyens pour maintenir un poids léger. Elles mangent très peu et font parfois de l'exercice physique de manière compulsive, au point d'être affamés. Il en résulte parfois de graves complications ou même la mort. L'anorexie nerveuse comporte les signes et symptômes suivants :

- résistance face au maintien d'un poids santé ;
- peur irrationnelle de gagner du poids, même si la personne a un poids insuffisant ;
- point de vue non réaliste concernant la forme et le poids du corps ;
- négation du risque pour la santé d'avoir un poids insuffisant ;
- chez les femmes : périodes menstruelles rares ou absentes.

Boulimie nerveuse. La boulimie nerveuse implique la consommation de grandes quantités de nourriture dans une courte période (goinfrerie), suivie d'une purge alimentaire par la restitution, un lavement, des laxatifs ou des diurétiques. Les personnes atteintes de ce trouble sont portées à faire de l'exercice physique de manière compulsive. Entre les épisodes de goinfrerie et de purge, les personnes atteintes de boulimie nerveuse sont généralement portées à limiter leur consommation de nourriture. Des sentiments de dégoût et de honte associés à la maladie peuvent déclencher d'autres épisodes de boulimie, menant au développement d'un nouveau cycle. Une purge excessive occasionne des modifications dans la chimie du corps et cause parfois de graves complications médicales ou même la mort.

Trouble d'alimentation excessive. Un épisode d'alimentation excessive implique une perte de contrôle sur votre comportement alimentaire, ce qui se traduit par la consommation de quantités excessives de nourriture dans une courte période. Ce trouble est différent d'un épisode d'alimentation excessive périodique à l'occasion d'un repas au restaurant ou lorsque vous mangez votre plat préféré. Le trouble d'alimentation excessive se caractérise par une fréquence minimale de deux jours d'épisodes d'alimentation excessive par semaine pour une période de 6 mois. Contrairement à la boulimie nerveuse, le trouble d'alimentation excessive n'est pas suivi par une élimination de la nourriture ou d'une suractivité physique. Le gain de poids, la perte d'estime de soi et d'autres conséquences néfastes résultant d'une consommation excessive de nourriture à teneur élevée en gras et en sucre se soldent parfois par de graves complications médicales. Des comportements particuliers sont associés à divers troubles alimentaires.

Les personnes souffrant d'anorexie nerveuse ont tendance à être perfectionnistes, alors que celles qui sont atteintes de boulimie nerveuse sont généralement plus impulsives. Les outremangeurs et les gens atteints de boulimie tendent à s'inquiéter de leur poids et de leur image corporelle et, comme pour les personnes atteintes d'anorexie nerveuse, s'imposent souvent des normes personnelles très élevées. Les adolescentes et les jeunes femmes représentent environ 90 pour cent des cas d'anorexie et de boulimie nerveuse. Ces troubles alimentaires affectent également les femmes et les hommes plus âgés, mais plus rarement. Le trouble d'alimentation excessive est plus fréquent chez les femmes adultes souffrant d'obésité.

De façon générale, les troubles alimentaires ainsi que la dépression, impliquent souvent un entrecroisement complexe de facteurs médicaux, psychologiques et sociaux. Des études révèlent que la gravité de votre trouble alimentaire peut être étroitement liée à la gravité de votre dépression et indiquent que traiter la dépression aide souvent à alléger les symptômes de l'anorexie et de la boulimie et réduit la fréquence des épisodes d'alimentation excessive. Les antidépresseurs s'avèrent parfois efficaces pour le traitement de la boulimie nerveuse, même si vous n'êtes pas dépressif. Une étude récente suggère fortement que la boulimie nerveuse pourrait être associée aux changements dans l'activité de la sérotonine neurotransmettrice du cerveau.

Le traitement de la dépression permet au moins d'améliorer l'humeur et l'attitude. Ainsi, vous serez en mesure de mieux vous concentrer sur l'élimination de votre trouble alimentaire. Il est important de traiter rapidement les troubles alimentaires avant que le cycle d'alimentation excessive ne devienne une habitude trop difficile à éliminer.

Trouble de dysmorphie corporelle et dépression

Le trouble de dysmorphie corporelle se caractérise par une obsession à propos d'un défaut imaginaire ou réel au niveau de l'apparence. Les personnes atteintes de ce trouble sont tellement préoccupées par l'image déformée qu'elles se font d'elles-mêmes qu'elles ont peine à fonctionner normalement et envisagent même le suicide. Ce trouble est souvent accompagné d'une dépression.

Malheureusement, les gens souffrant d'un trouble de dysmorphie corporelle dissimulent souvent leurs inquiétudes aux autres, car leur état leur inspire de la honte et de la gêne. Même s'ils sont traités pour leur dépression, il arrive souvent que leur trouble de dysmorphie corporelle ne soit pas diagnostiqué. Tant et aussi longtemps que le trouble de dysmorphie corporelle n'est pas diagnostiqué et traité, les efforts pour traiter uniquement la dépression s'avèrent souvent infructueux.

Le trouble de dysmorphie corporelle est généralement plus facile à soigner en utilisant un traitement combiné, y compris des antidépresseurs. Un traitement combiné efficace de la dysmorphie corporelle et de la dépression peut s'avérer plus long qu'un simple traitement contre la dépression. Il vous faudra probablement recourir également à une dose médicamenteuse supérieure à celle généralement prescrite pour le traitement de la dépression.

Troubles de la personnalité et dépression

Les troubles de la personnalité se développent le plus souvent chez les jeunes adultes. Les individus qui souffrent de troubles de la personnalité ont un comportement souvent associé à des problèmes de relations interpersonnelles qui durent depuis plusieurs années. Il existe plusieurs types de troubles de la personnalité. Les troubles de la personnalité limite et de la personnalité dépendante sont les deux troubles de la personnalité les plus fréquemment associés à la dépression.

Trouble de la personnalité limite. Les personnes souffrant d'un trouble de la personnalité limite sont instables à plusieurs niveaux, soit dans leurs relations interpersonnelles, leur image personnelle et leur humeur. Ils menacent souvent de s'infliger des blessures ou de se suicider. Certaines se mutilent en se coupant ou en se brûlant avec un objet chaud. En bref, la vie des personnes atteintes de troubles de la personnalité limite peut être décrite comme un tour de montagnes russes émotionnelles agité. Leur comportement a été décrit comme étant prévisiblement imprévisible ou caractérisé par une instabilité régulière. Une personne atteinte d'un trouble de la personnalité limite est susceptible :

- d'éprouver des difficultés à contrôler ses émotions ou ses impulsions ;
- d'alterner fréquemment entre un état euphorique et un état dépressif ;
- d'agir de façon impulsive ;
- de changer souvent d'humeur ;
- d'entretenir des relations interpersonnelles orageuses ;
- d'éprouver des accès de colère et d'être impliquée dans des bagarres ;
- d'avoir des opinions tranchées ;
- d'avoir une impression de vide intérieur ;
- d'éviter la solitude.

La dépression grave et l'anxiété coexistent souvent avec le trouble de la personnalité limite. La psychothérapie, habituellement une variation de la thérapie cognitivo-comportementale, s'avère la base du traitement du trouble de la personnalité limite. Cette thérapie vise à réduire ou à éliminer les comportements indésirables et permettre aux personnes souffrant de ce trouble d'apprendre à mieux composer avec le quotidien et ses désagréments. Des antidépresseurs, possiblement combinés à d'autres médicaments utilisés en psychiatrie, peuvent être prescrits lorsqu'une dépression grave ou de l'anxiété accompagnent le trouble de la personnalité limite.

Trouble de la personnalité dépendante. Les personnes atteintes de ce trouble ont un grand besoin émotionnel d'être pris en charge, ce qui se traduit généralement par un comportement passif, soumis et qui s'accroche. Le trouble de la personnalité dépendante se manifeste habituellement au début de l'âge adulte et présente les signes et les symptômes suivants :

- a un besoin excessif d'être pris en charge ;
- se sent incapable de se débrouiller seul ;

- a constamment besoin d'être rassuré par d'autres ;
- a de la difficulté à prendre des décisions sans recevoir beaucoup de conseils des autres ;
- ne contredit pas par peur d'être désapprouvé ;
- est incapable d'initier des projets ou d'avoir une initiative de lui-même ;
- fait des pieds et des mains pour obtenir l'attention et le soutien d'autrui, allant même jusqu'à se porter volontaire pour effectuer des tâches désagréables ;
- éprouve un sentiment de détresse lorsqu'il est seul ;
- cherche désespérément quelqu'un vers qui se tourner lorsqu'une relation privilégiée prend fin ;
- craint de devoir se prendre en mains.

La franchise est votre meilleure amie

D'autres recherches seront nécessaires pour mieux comprendre les nombreuses complexités des maladies associées et identifier le traitement le plus approprié pour y remédier. Bien que les maladies associées soient fréquentes, l'entremêlement et l'intensité des symptômes présente des défis et des obstacles exigeant un diagnostic précis. Pour mettre toutes les chances de votre côté, faites preuve d'honnêteté et d'ouverture lorsque vous discutez de vos symptômes avec votre intervenant en santé mentale. Cette approche l'aidera grandement à identifier les deux maladies et à déterminer le traitement le plus approprié.

Partie 4
Vivre avec une personne déprimée

Chapitre 15

Suicide

P lus de trente mille Nord-américains se suicident annuellement et on estime que les tentatives de suicide sont de 10 à 20 fois plus élevées. De plus, les statistiques indiquent que pour deux personnes assassinées, trois se suicident. Le Québec se classe deuxième après la Finlande pour l'incidence du suicide.

Environ 9 suicidés sur 10 souffrent d'une ou plusieurs maladies mentales, la plus fréquente étant la dépression. Une statistique révélée couramment indique que 15 pour cent des personnes dépressives se suicident. Cependant, une étude récente de la Clinique Mayo laisse entendre que le taux actuel est moins élevé. Les chercheurs ont découvert que le taux de suicide chez les gens recevant des traitements pour la dépression varie entre 2 et 9 pour cent. Les personnes les plus à risques sont celles qui ont été hospitalisées récemment, suite à des tentatives de suicide ratées. Les personnes qui présentent le moins de risques sont les malades non hospitalisés recevant des traitements. D'autres études révèlent que les personnes dont la dépression n'est pas traitée affichent un taux de suicide plus élevé que celles qui reçoivent un traitement. En bref, plus la dépression est grave, particulièrement si elle n'est pas traitée ou traitée de façon inappropriée, plus les risques de suicide sont élevés.

Qui sont les personnes à risque ?

Il est impossible de prévoir avec certitude qui se suicidera ou tentera de le faire, car le suicide est un comportement complexe. Plusieurs facteurs psychologiques et sociaux comme la dépression, la toxicomanie, une crise personnelle et l'accessibilité à des armes à feu ou à une quantité dangereuse de médicaments augmentent les risques de suicide. La réaction face à ces facteurs de risque varie de façon importante d'une personne à une autre.

Pour réduire le risque de suicide, il est important d'être conscient des facteurs-clés associés à ces circonstances. Une personne qui vous est chère court possiblement des risques de se suicider si elle :

Est déprimée. Plus de la moitié des gens qui se suicident vivent une forme de dépression comme une dépression grave ou un trouble bipolaire.

A déjà fait des tentatives de suicide. Entre 20 et 50 pour cent des gens qui se sont suicidés avaient déjà fait des tentatives dans le passé.

Fait une consommation abusive d'alcool ou de drogues. La toxicomanie peut mener au chômage, à la maladie et à un manque de soutien affectif, des facteurs susceptibles de contribuer à une dépression. L'alcool et les drogues peuvent aggraver une dépression en altérant le jugement et en favorisant un comportement impulsif.

Provient d'une famille dans laquelle il y a déjà eu des suicides. Une étude parrainée par le *National Institute of Mental Health* indique qu'une personne sur quatre ayant déjà tenté de se suicider provient d'une famille dans laquelle il y a déjà eu des tentatives de suicide.

Est de sexe masculin. Les femmes commettent plus de tentatives de suicide que les hommes, mais ces derniers sont plus susceptibles de les compléter. Des trente mille suicides et plus survenus en 1998, plus de vingt-quatre mille impliquaient des hommes. Pour l'instant, les chercheurs doivent se contenter de spéculer sur les raisons pour lesquelles le pourcentage de suicide complété est plus élevé chez les hommes. Il est possible que ce soit parce que les hommes utilisent des moyens plus radicaux comme des armes à feu pour mettre fin à leurs jours, alors que les femmes font plus souvent usage de surdoses de médicaments ou de poison.

Du côté masculin, ce sont les hommes blancs âgés de 85 ans et plus qui présentent le plus de risques. Leur taux de suicide est six fois plus élevé que la moyenne nationale. Il est intéressant de noter que plus de 70 pour cent des hommes âgés qui se suicident ont rendu visite à leur médecin au cours du mois précédent, plusieurs d'entre eux souffrant d'une maladie dépressive non décelée. (Environ 40 pour cent d'entre eux ont vu un médecin la semaine précédant leur suicide et 20 pour cent le jour même). La majorité des hommes âgés qui se suicident vivent seuls. Leur santé est souvent chancelante et comme plusieurs des membres de leur famille sont décédés, ils se sentent souvent seuls et démunis.

A accès à une arme à feu. Aux États-Unis, la plupart des gens qui se suicident utilisent une arme à feu. Au Canada, le contrôle des armes à feu étant plus rigoureux, peu de gens se suicident avec une arme à feu. L'accessibilité à une arme à feu pour une personne dépressive ayant des idées suicidaires augmente cependant les risques de suicide.

Signes d'alarme

Il arrive souvent que des signes d'alarme indiquent qu'un proche emprunte une tangente dangereuse et soit susceptible de commettre un geste suicidaire. Plusieurs de ces signes sont également des caractéristiques de la dépression et il n'est pas toujours évident de déterminer si ce comportement annonce des intentions suicidaires ou s'il s'agit simplement d'un symptôme de dépression. Voilà pourquoi il est important d'identifier une dépression potentielle et d'obtenir l'aide appropriée le plus rapidement possible.

Menaces de suicide. Il arrive qu'une personne fasse part à son entourage de ses pensées suicidaires ou déclare que le monde se porterait mieux si elle était morte. La croyance voulant que les personnes qui parlent de suicide ne le commettent pas est erronée et vous devez interpréter leurs paroles comme étant un signe de détresse nécessitant l'intervention d'un professionnel.

Isolement. Les personnes qui présentent des risques de suicide sont moins portées à parler à autrui ou veulent simplement qu'on les laisse tranquilles. Une situation conflictuelle au travail ou de mauvais résultats scolaires sont également d'autres signes d'isolement.

Humeurs variables. Nous connaissons tous des hauts et des bas, mais des variations d'humeur extrêmes, soit un enthousiasme fou un jour, puis un profond découragement le lendemain, sont anormales.

Changements de personnalité. Avant de se suicider, il arrive qu'une personne manifeste des changements importants au niveau de son comportement et de ses habitudes, comme l'alimentation ou le sommeil. Ainsi, un individu timide se transforme soudainement en boute-en-train ou un individu sociable tend à s'isoler.

Comportement à risque. Des activités dangereuses et inhabituelles comme la conduite à grande vitesse, des relations sexuelles non protégées ou une consommation excessive de drogue sont des signes avant-coureurs annonçant qu'une personne a des intentions de suicide.

Crise personnelle. Des événements déstabilisants comme un divorce, une perte d'emploi ou la perte d'un être cher sont difficiles à gérer. Ce genre de situation peut mener des personnes dépressives au bord du suicide.

Donner des effets personnels. Avant de se suicider, les personnes dépressives ont tendance à donner des objets qui leur tiennent à cœur, car ils sont convaincus qu'ils n'en auront plus besoin.

Début de rétablissement. Il est surprenant de constater que plusieurs personnes se suicident 2 ou 3 mois après avoir surmonté leur dépression. Si un membre de votre famille ou un ami a combattu une dépression pendant des mois ou des années, il est possible qu'il se rende compte pour la première fois des problèmes occasionnés par la dépression ou qu'il ait l'énergie émotionnelle pour se suicider. Étant donné que cette personne qui vous est chère ne s'est peut-être pas débarrassée du désespoir et des pensées négatives qui accompagnent la dépression, ces émotions combinées à un regain d'énergie sont susceptibles de conduire à une tentative de suicide.

S'occuper d'une personne qui a des pensées et des gestes suicidaires

La famille et les amis doivent se rappeler que toutes les personnes qui pensent à se suicider ne passent pas aux actes. Toutefois, il importe de prendre toute mention de suicide au sérieux, particulièrement si vous savez ou si vous doutez que la personne qui en parle est déprimée. La meilleure façon de savoir si une personne qui vous est chère a des intentions suicidaires est encore de le lui demander. Ne craignez pas que votre question risque de lui donner des idées qu'elle n'avait pas. Il s'agit simplement d'une occasion de discuter et si la personne en question a effectivement des idées suicidaires, de parler de la douleur et des idées négatives qui sont à l'origine de ces pensées. Ce genre d'intervention aide à réduire les risques de suicide. N'oubliez pas que votre rôle ne consiste pas à jouer au thérapeute, mais seulement à communiquer vos préoccupations et de tenter d'obtenir, au besoin, les soins médicaux appropriés pour cette personne qui vous est chère. Soyez direct lorsque vous parlez du suicide. Voici quelques questions pertinentes à adresser à la personne que vous soupçonnez d'avoir des idées suicidaires:

- Penses-tu à la mort?
- Penses-tu à te faire du mal?
- Comment et quand le ferais-tu?

Lorsque vous parlez du suicide, ne promettez pas la confidentialité, même si vous croyez qu'il s'agit de la seule façon d'obtenir des confidences. Pour obtenir l'aide d'un professionnel, vous devrez probablement partager les confidences de la personne à risque avec d'autres gens. Si vous lui promettez de n'en parler à personne et que vous ne pouvez respecter votre promesse, vous risquez de perdre la confiance

Hospitalisation forcée

L'hospitalisation forcée n'est pas fréquente, mais il arrive que cette procédure légale soit utilisée lorsqu'une personne affiche un comportement autodestructeur ou risque de blesser d'autres personnes et refuse d'être traitée. Une personne souffrant d'une dépression grave peut être hospitalisée contre son gré à des fins d'évaluation et de traitement si elle :

- a déjà fait une tentative de suicide ;
- entretient des pensées de suicide et a un plan qu'elle compte mettre à exécution ;
- est incapable de pourvoir à ses besoins essentiels, y compris s'alimenter de façon suffisante ou vivre dans des conditions d'hygiène décentes.

Dans la plupart des provinces ou pays, une personne peut être hospitalisée contre son gré pour une période de temps limitée afin de subir une évaluation psychiatrique sous ordonnance d'une cour ou sur les ordres d'un médecin. Si l'évaluation confirme la présence d'un risque et que la personne refuse d'être soignée, celle-ci pourrait être soumise à une audience devant un tribunal afin de déterminer si elle doit être jugée, aux yeux de la loi, comme étant une malade mentale ayant besoin d'un traitement. Si la cour décide que c'est le cas, elle peut ordonner un engagement involontaire à suivre un traitement de santé mentale. Il faut absolument une ordonnance de cour pour qu'une personne soit hospitalisée contre son gré, sauf s'il s'agit d'un cas d'urgence et d'un internement à court terme.

Pour obtenir plus d'information sur l'hospitalisation forcée, veuillez communiquer avec le centre de services sociaux ou le centre de santé mentale de votre localité.

de la personne à risque et de diminuer vos chances de lui venir en aide ultérieurement.

Face à la possibilité d'un suicide, faites preuve d'empathie, manifestez du soutien à l'égard de la personne suicidaire et prenez les moyens qui s'imposent pour l'empêcher de passer aux actes, si nécessaire.

Retirez ou mettez dans un endroit sécuritaire les armes à feu, les couteaux et tout autre objet susceptible d'être utilisé par la personne suicidaire pour attenter à ses jours. Vous voudrez sans doute exercer une surveillance étroite de tous les médicaments. En cas de danger imminent, n'hésitez pas à poser les gestes qui s'imposent, même si vous devez téléphoner à la police ou communiquer avec un professionnel de la santé mentale contre le gré de la personne suicidaire.

Survivants du suicide : ceux qui restent

On estime que pour chaque suicidé, il y a environ six personnes profondément affectées par le décès, ce qui se traduit par près de deux cent mille personnes par année qui souffrent d'une forme de chagrin des plus douloureuses. La famille, les amis et les collègues de travail qui vivent cet événement sont couramment appelés des survivants du suicide.

Lorsqu'un individu se suicide ou commet une tentative de suicide, les membres de la famille et les amis intimes de cette personne sont souvent bouleversés et vivent une douleur intense et prolongée. Les survivants du suicide sont susceptibles de faire des cauchemars pénibles et de revoir des images du suicide et seront portés à éviter les gens et les lieux leur rappelant le triste événement. Certains survivants n'éprouvent plus d'intérêt pour les activités qu'ils trouvaient agréables et deviennent apathiques au niveau des émotions, incapables de faire preuve de la moindre compassion. Au-delà du deuil, les survivants du suicide risquent de devenir dépressifs à leur tour ou de développer une autre maladie mentale consécutive à un stress important.

Émotions courantes

Si vous êtes un survivant du suicide, vous avez peut-être éprouvé une ou plusieurs des réactions suivantes. Ces émotions disparaissent généralement avec le temps, mais le processus peut prendre des semaines, voire des mois. Ces émotions peuvent ressurgir à l'occasion, particulièrement dans le cadre d'un événement spécial comme un anniversaire qui vous remémore l'être cher que vous avez perdu.

Choc. La première réaction en est généralement une de choc, ainsi qu'une torpeur émotionnelle. Vous n'arrivez pas à croire ce qui s'est produit et avez l'impression d'observer le cauchemar de quelqu'un d'autre.

Confusion. Environ deux tiers des personnes qui tentent de se suicider laissent des notes. Cependant, même les notes ne fournissent que des explications partielles quant aux raisons pour lesquelles la personne s'est enlevée la vie. Admettre que vous ne connaîtrez jamais la vérité fait partie du processus de guérison.

Chagrin. Vous pleurez peut-être souvent et facilement. Les larmes représentent une façon sincère d'exprimer ce que vous ressentez face à la perte d'une personne qui vous est chère.

Désespoir. Des sentiments de tristesse et de perte peuvent affecter votre appétit, votre sommeil, votre niveau d'énergie et vos relations interpersonnelles et vous conduire à la dépression.

Colère. Vous pourriez éprouver de la colère contre un médecin, un membre de la famille, un ami ou vous-même pour ne pas avoir reconnu à temps les risques de suicide. Vous pourriez être en colère contre la personne qui s'est suicidée parce que son geste a bouleversé plusieurs êtres. Ressentir de la colère et l'exprimer font partie du processus de guérison.

Culpabilité. Les « si seulement » reviennent vous hanter. Si seulement vous aviez su interpréter correctement les signes avant-coureurs, communiqué avec un médecin ou insisté auprès de la personne regrettée pour qu'elle demande de l'aide. Avec le temps, vous réaliserez que ce n'était pas votre faute.

Demandez de l'aide

Les survivants d'un suicide développent souvent une maladie mentale, particulièrement une dépression. Vous êtes également susceptible de vivre des réactions intenses, similaires au syndrome de stress post-traumatique. Il s'ensuit de terrifiants cauchemars, la crainte d'exprimer des sentiments affectueux et une tendance à éviter les gens et les lieux que vous avez appréciés et qui vous rappellent au souvenir de la personne qui vous était chère.

Si vous avez de la difficulté à vivre avec cette perte, n'hésitez pas à demander de l'aide à votre médecin ou à un professionnel en santé mentale, sinon votre état pourrait s'empirer et occasionner d'autres problèmes. Une consultation ou une psychothérapie vous aideront à traverser la crise que vous vivez. Des groupes de soutien composés d'autres survivants du suicide vous aideront à vous retrouver dans ce labyrinthe d'émotions et de changements physiques dans lequel vous errez. Des groupes de consultation ou de soutien dirigés par des professionnels spécialisés sont particulièrement recommandés et utiles si vous ne recevez pas un soutien approprié de votre famille et de vos amis.

Plusieurs survivants du suicide refusent de demander de l'aide, car ils croient qu'il s'agit d'un signe de faiblesse, alors que c'est tout à fait le contraire. Demander de l'aide lorsque c'est nécessaire est un signe de solidité indiquant que vous vous occupez sérieusement de régler vos problèmes pour reprendre votre vie en mains.

Vivre avec le suicide d'un proche

Il est possible que vous n'acceptiez jamais complètement le suicide d'une personne qui vous était chère et continuez de ressentir la perte. Toutefois, avec le temps et l'aide d'autres personnes, la douleur résultant de cette perte commencera à être moins vive. Voici quelques suggestions susceptibles de favoriser la guérison :

• Les jours où vous vous sentez déprimé ou avez besoin d'exprimer vos émotions, parlez à un membre de votre famille ou à un ami qui a une bonne écoute.

• Demeurez en contact avec votre famille et vos amis. Il pourrait être tentant de prendre du recul face à vos proches, mais vous devez maintenir vos relations sociales. Les amis et la famille peuvent également vous aider à penser à autre chose.

• Dans les occasions spéciales comme des anniversaires et des fêtes que vous avez célébrés avec la personne qui s'est suicidée, ne vous retenez pas et permettez-vous d'exprimer votre chagrin. Si vous croyez que vous vous sentirez mieux, n'hésitez pas à changer des traditions familiales que vous trouvez trop douloureuses.

Pour terminer, n'oubliez pas cette importante réalité : vous avez parfaitement le droit de rire et de continuer à apprécier l'existence. Vous n'avez surtout pas à prouver votre affection pour la personne disparue en prolongeant votre chagrin. Votre tristesse et vos larmes représentent une façon d'honorer la mémoire de la personne regrettée et le fait de vous prendre en main et de continuer à vivre en est une autre.

Chapitre 16

Rôle de la famille et des amis

L a dépression ne se contente pas d'affecter la personne qui en est atteinte, mais touche également tous les gens qui l'entourent, qu'il s'agisse de la famille, d'amis ou de collègues de travail. Si une personne qui vous est chère souffre d'une dépression, une des choses les plus utiles que vous puissiez faire est de vous informer le plus possible sur la dépression et sur son traitement. Que la personne soit un parent, un conjoint, un enfant ou un ami qui vous est cher, vous serez en mesure de faire le nécessaire pour lui venir en aide, d'atténuer vos peurs et vos incertitudes et d'acquérir des moyens pour faire face à la situation.

Côtoyer une personne qui vit un épisode dépressif peut s'avérer une expérience très difficile qui demande de la patience et du courage de la part des deux parties. Voici quelques suggestions qui vous permettront de vivre cette épreuve avec plus de sérénité.

Être présent

Si vous n'avez jamais connu vous-même d'épisode dépressif, il vous est donc impossible de comprendre à quel point une personne peut se sentir inutile, démunie et désespérée lorsqu'elle en vit une. Dans la préface du livre *How You Can Survive When They're Depressed*, de l'auteure Anne Sheffield, il est écrit : « Il est difficile de faire comprendre aux autres à quel point une dépression profonde peut vous rendre confus, inadéquat, démoralisé et il n'y a pas de lumière au bout du tunnel. » Même si vous ne connaissez pas la sensation d'être déprimé, vous pouvez néanmoins faire preuve d'empathie et de compassion à l'égard d'une personne qui souffre d'une dépression. Votre simple présence peut faire une différence dans la progression de sa maladie.

Pour être en mesure d'aider, vous devez comprendre que la dépression est une maladie grave qui nécessite l'intervention d'un professionnel. La dépression n'est ni le résultat d'une faiblesse de caractère ni de la paresse. Il ne s'agit pas non plus d'un simple cas de mélancolie passagère. De plus, les personnes dépressives ne font pas semblant de l'être et ne sont pas plus capables de sortir instantanément de leur dépression qu'un individu souffrant de diabète ou d'arthrite de se défaire de sa maladie.

Apporter du support

Une fois que vous aurez compris que la personne qui vous est chère n'a aucun contrôle sur sa dépression, il vous sera plus facile de lui offrir du soutien et de l'attention. Voici quelques suggestions pour lui venir en aide :

Exprimez votre intérêt. Reconnaissez la douleur de la personne dépressive sans sous-entendre que vous savez comment elle se sent. Écoutez-la si elle a envie de parler, mais n'essayez pas de la faire parler et ne lui posez pas de questions indiscrètes. L'isolement et le mutisme font souvent partie intégrante de cette maladie. Ne vous sentez pas personnellement visé par son attitude.

Demandez-lui ce que pouvez faire pour l'aider. La personne qui vous est chère n'aura peut-être pas de suggestions particulières, mais elle saura néanmoins que vous voulez lui venir en aide.

Offrez-lui de l'espoir. Rappelez-lui que la dépression se guérit et qu'éventuellement, elle se portera mieux. Si cette personne fait l'objet d'un traitement, mentionnez-lui qu'il faut un certain temps pour que le traitement fasse son œuvre.

Faites du renforcement positif. Les personnes dépressives se sentent souvent inutiles et ont tendance à ruminer leurs erreurs et leurs défauts. Parlez-lui de ses qualités et de ses compétences et à quel point vous tenez à elle.

Conservez votre sens de l'humour. Vous vous sentirez probablement frustré et serez même en colère à l'occasion. Ces réactions sont tout à fait normales, mais essayez de ne pas vous emporter lorsque vous êtes en présence de la personne dépressive et ne passez pas votre colère sur elle. Autant que possible, faites preuve d'humour afin d'alléger la tension et l'atmosphère, mais ne faites pas de plaisanteries aux dépens de la personne qui vous est chère.

Encouragez une attitude positive et des activités saines. Invitez la personne déprimée à se joindre à vous pour exercer diverses activités ou pour visiter des membres de votre famille ou des amis communs. Cependant, n'insistez pas et n'ayez pas de grandes attentes, du moins dans l'immédiat. N'oubliez pas de lui parler de l'importance de faire de l'exercice physique et de bien s'alimenter.

Faire face à la résistance

Il est parfois difficile de convaincre une personne déprimée qu'elle souffre d'une maladie et qu'elle a besoin de l'aide d'un professionnel. Plutôt que de demander «Es-tu déprimé?» ou de dire «Je crois que tu es déprimé», expliquez-lui calmement que vous vous inquiétez pour elle. En évitant d'être critique à son endroit, décrivez les changements de comportement et d'humeur que vous avez observés chez elle. Demandez-lui de vous expliquer ce qui lui arrive et pourquoi elle semble abattue.

Vous devrez peut-être faire plusieurs tentatives avant de convaincre cette personne qui vous est chère de demander de l'aide, mais vous ne devez pas vous décourager. Offrez-lui de l'accompagner chez le spécialiste. Ceci vous permettra non seulement de lui témoigner votre empathie, mais également de partager vos observations avec le médecin, ce qui pourrait contribuer favorablement au diagnostic. Vous pouvez aussi téléphoner au médecin ou le rencontrer et lui faire part de vos inquiétudes.

Durant le traitement, il est possible que vous deviez aider la personne déprimée en lui rappelant de prendre ses médicaments ou lorsqu'il s'agit d'une dépression profonde, lui administrer les doses adéquates afin de vous assurer que la personne se conforme à la prescription. Si vous observez des signes d'amélioration, et vous pourriez être la première personne à les constater, faites part de vos observations à la personne déprimée afin de lui donner du courage et de l'espoir. Si vous ne constatez aucun signe d'amélioration après une période suffisamment longue pour que le médicament ait eu le temps de faire effet, suggérez à la personne qui vous est chère de prendre un autre rendez-vous avec son médecin ou de demander l'avis d'un autre médecin.

Porter le fardeau

Plusieurs personnes sont susceptibles de s'inquiéter de l'état d'une personne déprimée, mais pour la ou les personnes qui doivent prendre soin d'elle, la dépression peut devenir beaucoup plus préoccupante.

S'occuper d'une personne dépressive représente un défi de taille, car celle-ci peut être repliée sur elle-même, désagréable et ne pas avoir envie de communiquer. Elle risque d'interpréter vos gestes et préoccupations comme de l'ingérence et de les trouver inutiles.

Dans son avant-propos au livre *How You Can Survive When They're Depressed*, voici comment Mike Wallace décrit ce que Marie, sa partenaire d'alors devenue sa femme, a vécu durant sa dépression :

J'étais vraiment de très mauvaise compagnie pour quiconque m'approchait, mais particulièrement pour Marie, qui a dû composer avec ma tristesse et mon irritabilité. Il est impossible de décrire précisément l'angoisse que vit la famille d'une personne dépressive. Pessimisme, absence d'affection et de véritable communication, irritabilité et rejet font partie du quotidien. Le fait qu'il n'y ait pas plus de mariages qui sombrent en raison de ces circonstances pénibles relève du mystère, car au fond de vous-même vous n'ignorez pas le mal que vous faites à vos proches, à ceux qui doivent traverser l'épreuve en même temps que vous et souffrir des conséquences, Toutefois, vous êtes incapable de faire quoi que ce soit pour leur faciliter la tâche.

Les conjoints et les proches d'une personne déprimée doivent non seulement la prendre en charge, mais également s'acquitter des tâches qu'elle n'est pas en mesure d'assumer. Ainsi, si votre conjoint s'occupe généralement de toutes les questions financières, vous devrez probablement vous en occuper jusqu'à ce qu'il prenne du mieux.

La tâche est-elle trop ardue ?

Pendant que vous vous occupez de la personne déprimée, vous aurez peut-être l'impression de mettre votre propre vie en attente. Toutefois, il importe aussi que vous preniez soin de vous-même. L'Association Alzheimer identifie dix signes de stress chez les personnes soignantes. Bien que ceci s'adresse aux gens qui prennent soin de personnes souffrant de la maladie d'Alzheimer, ces comportements s'appliquent également aux personnes qui doivent s'occuper d'un proche qui est déprimé.

Déni. Vous refusez d'accepter la maladie et ses conséquences sur la personne qui vous est chère ainsi que sur vous-même et votre famille.

Colère. Vous êtes en colère contre la personne qui est malade, contre les autres qui ne comprennent pas ce que vous vivez, contre le médecin qui ne parvient pas à régler le problème ou tout bonnement contre l'univers entier.

Isolement social. Vous vous abstenez de participer à des activités qui vous procuraient du plaisir et vous vous tenez loin de vos amis.

Anxiété. Vous faites preuve d'une inquiétude exagérée face au quotidien et à l'avenir.

Dépression. Le stress occasionné par la prise en charge de votre proche risque de vous mener à la dépression.

Épuisement. Vous vous sentez trop fatigué pour entreprendre une nouvelle journée.

Insomnie. Vous passez la nuit à remuer et à vous inquiéter, incapable de dormir en raison des innombrables pensées pénibles qui traversent votre esprit.

Irritabilité. Vous êtes agressif envers les autres ou vous avez envie de grimper aux rideaux.

Manque de concentration. Vous éprouvez de la difficulté à vous concentrer sur ce que vous faites et à effectuer les activités courantes de la vie quotidienne.

Problèmes de santé. Le stress commence à se faire sentir, physiquement et mentalement.

Prendre soin de vous-même

Votre capacité d'adaptation à cette situation et à prendre soin de vous-même durant cette période difficile peut faire toute la différence du monde quant à votre propre santé et à votre habileté à composer avec la dépression de la personne qui vous est chère. Prendre soin de vous-même n'est pas un geste égoïste. En prenant soin de votre propre santé, vous serez en mesure d'aider davantage votre proche. Les démarches décrites ci-après sont susceptibles de vous aider à gérer et à soulager votre stress :

Demandez de l'aide. Vous n'y arriverez pas seul. Si possible, demandez à des membres de votre famille ou à des amis de vous aider à assumer quelques-unes de vos responsabilités. Si quelqu'un vous offre de l'aide, acceptez-la sans hésiter. Si personne n'offre de vous aider, demandez à des membres de votre famille ou à des amis de vous donner un coup de main pour des tâches spécifiques.

Acceptez vos émotions. Vous éprouverez sans aucun doute de la frustration par moment et ne serez pas toujours capable de cacher vos émotions. Vous avez parfaitement le droit d'exprimer vos frustrations à la personne qui vous est chère. Cependant, n'oubliez pas qu'il y a un monde entre dire « J'en ai assez de toi » et « Je t'aime, mais j'ai besoin d'avoir du temps à moi. ». Le fait d'exprimer ainsi vos émotions peut vous aider à soulager la culpabilité que vous éprouvez face à de tels sentiments. À l'instar de la personne déprimée, vous êtes susceptible d'éprouver des sentiments de perte et de chagrin. Ces réactions sont tout à fait normales.

Demandez des conseils et du soutien. Parlez à un ami en qui vous avez confiance ou à un membre de votre famille ou consultez un professionnel pour obtenir son avis ou un traitement. Partager vos émotions aura sur vous un effet grandement thérapeutique. Vous avez également l'option de joindre un groupe de soutien pour obtenir un appui émotionnel ainsi que de l'information et des conseils.

Pour trouver un groupe de soutien qui vous convient, communiquez avec le médecin de la personne déprimée, avec votre association locale pour la santé mentale, avec votre prêtre ou l'hôpital le plus près de chez vous. Vous pouvez aussi communiquer avec les organismes de santé mentale dont la liste apparaît à la fin de ce livre.

Prévoyez du temps pour vous-même. Lorsqu'un membre de votre famille est déprimé, toute l'attention de la famille semble concentrée sur cette personne. Ne négligez pas vos propres besoins. Mangez bien, faites de l'exercice et prenez suffisamment de repos. Faites des sorties et des activités qui vous plaisent. Plusieurs activités d'autosoins dont il est question dans le chapitre 10 peuvent s'avérer aussi bénéfiques pour les personnes soignantes que pour les personnes qui se remettent d'une dépression.

Question d'équilibre

Vivre avec une personne dépressive n'est pas une sinécure. La situation peut devenir encore plus difficile lorsque vous devez vous occuper d'autres personnes. N'oubliez pas que vous avez seulement deux mains, deux jambes et des limites. Demander de l'aide ou prendre du temps pour vous-même n'est pas un signe de faiblesse. Si vous êtes à bout de nerfs, fatigué ou que vous commencez à éprouver des problèmes de santé, vous serez moins apte à vous occuper de la personne qui vous est chère.

Pour terminer, dites-vous qu'il y a de la lumière au bout du tunnel. La plupart des personnes qui vivent une dépression peuvent se rétablir en suivant un traitement approprié. Il y aura des jours meilleurs.

Affronter et surmonter la dépression : une histoire vécue

Au lieu de suivre les traces de son père au sein de l'Armée de l'air, Richard Moreau a décidé d'embrasser une carrière médicale. Cependant, il a appliqué des principes militaires, soit le sens du devoir, la discipline et des efforts constants, au domaine des soins médicaux. Pour lui, il s'agissait d'une vocation où la faiblesse personnelle n'a pas sa place.

Ainsi, l'idée qu'il puisse un jour se trouver terrassé par une dépression lui semblait non seulement impossible, mais honteuse. « Je croyais que les gens souffrant d'une maladie mentale manquaient de force de caractère », affirme-t-il. « J'étais porté à les considérer d'un air supérieur et à me dire qu'ils devraient posséder un meilleur contrôle d'eux-mêmes ».

De grands espoirs

Pendant plusieurs années, les choses allèrent rondement. Durant son enfance, la famille de Richard Moreau voyagea avec l'armée, vivant même au Japon pendant un certain temps. Alors qu'il fréquentait l'école secondaire, sa famille s'établit à Montréal, où il compléta avec succès des études en médecine à l'université McGill. Pour son programme de spécialité, il a choisi deux domaines, soit la médecine interne, puis l'anesthésiologie.

Dès le début du programme, il a éprouvé des crises d'anxiété, des pertes d'énergie et a fait de l'insomnie, mais il s'est armé de courage pour poursuivre son objectif. « Je ne suis pas la personne la plus intelligente du monde, mais je suis toujours parvenu à compenser mes lacunes intellectuelles en étudiant beaucoup et en travaillant fort », se disait-il. « Je l'ai fait à l'école primaire, secondaire, au niveau collégial, à l'école de médecine et durant mon programme de formation ».

*Son sens du devoir était renforcé par la conviction que la Provi-
dence l'avait choisi pour être guérisseur. « J'éprouvais un besoin réel
de prendre soin de mes patients, la conviction viscérale qu'il s'agissait
de l'œuvre de ma vie », affirmait-il.*

Deux types de maladies

*Richard Moreau ne voyait pas la maladie mentale comme une véritable
maladie. La formation médicale qu'il a suivi durant les années 1970
et 1980 a renforcé sa conviction à l'effet qu'il existait deux types de
maladies, soit les troubles organiques qui provenaient de perturbations
du corps et les troubles « non organiques » de l'esprit, qui relevaient
de la maîtrise de soi et de la volonté.*

*Une fois sa formation en résidence complétée, il a voulu poursuivre
une formation poussée, mais non en médecine interne, où les douleurs
sont souvent influencées par l'état d'esprit. Les soins intensifs l'atti-
raient parce qu'il était facile de voir des preuves tangibles de maladies
ou de blessures virtuellement mortelles. Un tube enfilé dans une artère
aide à diagnostiquer un cœur défaillant et une radiographie pulmonaire
permet de confirmer une pneumonie.*

*« Il s'agissait de véritables maladies, palpables, qui me permet-
taient de procéder à une intervention spécifique », d'affirmer le docteur
Moreau. « L'idée que ces gens étaient vraiment malades et ne faisaient
pas semblant me plaisait. Il ne s'agissait pas de toute une série de problèmes psychologiques ou psychosomatiques. »*

Vigilance

*Cependant, Richard Moreau n'arrivait pas à se détendre, même en
acquérant de nouvelles compétences. Il craignait de blesser un patient
en oubliant une étape, en ratant un diagnostic ou en prescrivant un
médicament inapproprié. Il ressentait également la pression de devoir
performer devant ses supérieurs, de démontrer qu'il n'était pas uniquement un bon clinicien, mais également doué d'un potentiel certain pour
la recherche et l'administration.*

*La pression continua de se faire sentir, même une fois qu'il eut
complété sa formation et obtenu un poste de médecin membre du personnel à la clinique Mayo. Il s'est créé un mode de vie. À 5 heures
trente, il se rendait au gymnase en auto, où affirme-t-il, « il s'entraînait
jusqu'à l'épuisement, après quoi il se dirigeait vers la clinique pour
une longue journée de travail. Il pratiquait l'anesthésie dans la salle
d'opération ou supervisait le service des soins intensifs. Il enseignait*

aux jeunes médecins résidents, faisait de la recherche et rédigeait les conclusions de ses recherches pour des revues médicales.

Ce travail était passionnant et lui a permis d'être reconnu. «Vous ressentez une vive excitation et de la joie à l'idée de travailler à la clinique Mayo, d'être reconnu comme un bon médecin et de publier des recherches», raconte-t-il. « Vos résidents vous disent que vous êtes un bon enseignant, vous obtenez beaucoup de commentaires positifs, ce qui est stimulant et vous devenez membre d'organisations nationales et internationales. Tout ceci est très emballant. »

Les responsabilités se font plus lourdes

Entre-temps, le docteur Moreau s'était marié et était devenu père de famille, mais ses responsabilités professionnelles occupaient la majeure partie de son temps. « Il devenait difficile par moments d'être présent auprès de ma famille », affirme-t-il. « J'arrivais difficilement à quitter le travail et même à la maison, je ne cessais d'y penser. »

Il a essayé de s'en tirer en compartimentant sa vie familiale. « Vous vous occupez de votre vie personnelle une fois que tout le reste est en règle », poursuit-il. « C'est tout le temps dont je dispose pour moi-même et pour ma famille. » Il est devenu épuisé de façon chronique. À certains moments, sa lombalgie devenait insupportable, l'obligeant à ralentir ses activités. « Je détestais cette douleur, car elle me forçait à ralentir mon rythme », affirme-t-il. « Je fonctionnais à plein régime et je n'avais aucune intention de réduire mes activités. »

Au cours d'un été, son mal de dos l'a repris à nouveau, alors qu'il devait respecter l'heure de tombée pour un article et organiser deux conférences médicales. Cette fois, la médication et le repos n'ont été d'aucun secours et la physiothérapie a échoué. Il s'est retrouvé avec le pire mal de dos de sa vie et l'obligation de rester allongé. « L'inactivité m'était totalement étrangère », déclare-t-il. « J'ai perdu l'adrénaline que me procuraient une vigoureuse séance d'exercices physiques, la responsabilité de m'occuper de patients en état critique, l'enseignement, bref toutes les choses que j'aimais faire. »

Privé de ses habitudes, Richard Moreau ne savait plus comment meubler son temps. « J'étais à la maison, alité et je ne pouvais bouger », raconte-t-il. « Je ne savais vraiment pas comment me comporter et quelle était ma place, car je n'avais jamais passé beaucoup de temps à la maison. J'étais toujours à l'extérieur en train d'accomplir des choses importantes plutôt que de rester simplement à la maison. » Il avait fondé son sens des valeurs sur le rendement. « Je ne sais plus qui je suis » disait-il.

Un diagnostic étonnant

Les examens ont révélé qu'un disque bombé dans la colonne vertébrale exerçait une pression sur le canal rachidien. Bien que la plupart des maux de dos occasionnés par des disques déplacés guérissent avec du repos, des médicaments et des exercices de physiothérapie, il était convaincu qu'il fallait procéder à une opération et a consulté un neuro-chirurgien. Toutefois, le chirurgien l'a envoyé consulter un neurologue, spécialisé dans le traitement non chirurgical des troubles nerveux.

Richard Moreau a décrit ses symptômes qui consistaient en une douleur lombaire qui lui causait des brûlements jusque dans les jambes et les pieds. Il s'attendait à ce que le neurologue communique avec un autre chirurgien, mais ses symptômes ne coïncidaient pas avec un profil neurologique habituel. En lieu et place, le neurologue téléphona à l'épouse du docteur Moreau. Ce dernier se montra irrité lorsque la dis-cussion porta sur son humeur et ses niveaux d'appétit et d'énergie, des signes et des symptômes susceptibles de révéler une dépression. Il fut questionné par un psychiatre et admit qu'il se sentait irritable, fatigué, isolé et qu'il avait de la difficulté à manger, à dormir et à se concentrer. Il finit par accepter d'aller à l'hôpital suivre un traitement pour dépression grave.

Réévaluation

Richard Moreau n'en revenait pas d'être devenu le patient d'un psychiatre.

« Voilà un homme qui a évité de travailler avec des gens souffrant de maladies mentales en se dirigeant vers les soins actifs, » raconte-t-il. « J'étais moi-même atteint d'une maladie mentale avec laquelle je devais apprendre à vivre. »

Le docteur Moreau s'est vu prescrire des médicaments et a entrepris une psychothérapie. Au début, il s'identifiait davantage aux membres de l'équipe de soins de santé qu'aux autres patients. Son attitude s'est modifiée au fil du temps. « J'ai fait la transition de médecin à patient, j'ai côtoyé d'autres malades, mangé avec eux et discuté avec eux de leurs frustrations. »

Ce n'est pas de gaieté de cœur qu'il accepta sa maladie. « Tous les matins, je me réveillais et je pleurais », raconte-t-il. « Je n'arrivais pas à croire ce qui m'arrivait. Comment avais-je pu m'enliser de la sorte ? J'envisageais la situation avec le plus grand embarras et j'étais déçu de moi-même. »

Les membres de sa famille et ses amis ne se sont pas montrés aussi durs qu'il l'était envers lui-même. Leur soutien lui a permis de changer la perception qu'il avait de lui-même. « J'ai constaté qu'ils m'aimaient, non pour ce que j'étais capable d'accomplir, mais simplement comme personne », ajoute-t-il.

Richard Moreau a trouvé un soutien dans des activités non associées au travail. « Je ne sentais pas que j'avais à accomplir quelque chose à chaque minute de la journée. » Il s'est rendu compte que même ses croyances religieuses avaient été dominées par une obligation de rendement. Son meilleur ami, un ministre du culte, l'a aidé à changer sa vision des choses. « J'ai réalisé à travers ma foi que je n'avais pas toujours besoin d'accomplir quelque chose pour que Dieu m'aime, mais que celui-ci m'aimait, même dans cette situation embarrassante » conclut-il.

Une nouvelle façon de voir

Au bout de 3 semaines, l'état de Richard Moreau s'était grandement amélioré. Cependant, il n'était pas encore prêt à retourner travailler. Il resta à la maison pendant plusieurs semaines. Au début, il trouvait la situation accablante : « J'étais habitué d'être à la maison pour dormir et y passer quelques heures ici et là » affirme-t-il. « Maintenant, je passe mes journées à la maison et je suis désoeuvré. »

Il a commencé par faire quelques petits travaux, soit teindre le patio et jardiner. Il a également consacré plus de temps à ses quatre enfants, dont l'âge variait entre 5 et 20 ans. « Plutôt que de planifier des activités à l'avance, je me sentais bien en passant simplement du temps en leur compagnie », explique-t-il.

Son mal de dos a cessé.

La mince démarcation entre la maladie physique et la maladie mentale

La plupart des maladies mentales résultent d'une combinaison de facteurs héréditaires, biologiques et environnementaux. Des circonstances difficiles peuvent occasionner des changements dans la chimie du cerveau chez une personne vulnérable, ce qui peut mener à une dépression.

Les personnes souffrant d'une dépression ou d'autres maladies mentales ne sont pas toujours conscientes de leur état mental ou refusent de l'admettre. Les périodes d'anxiété, d'insomnie et de perte d'énergie que le docteur Moreau avait autrefois ignorées étaient peut-être des épisodes de dépression légère. « Ce sont les douleurs lombaires et les brûlements dans les jambes associés à la dépression qui m'ont empêché d'ignorer mes symptômes à ce moment-là », déclare-t-il.

Négocier les exigences du monde médical

Richard Moreau a recommencé à travailler. Cependant, convaincu que le surplus de travail et l'épuisement avaient contribué à sa maladie, il a cessé de se consacrer à des projets prenant beaucoup de temps et a appris à dire non.

Que conseillerait-il à sa fille qui étudie présentement au niveau collégial si elle décidait de se lancer en médecine ou un autre domaine comportant un programme de formation très exigeant ?

« Le système d'enseignement médical actuel est si exigeant que je lui dirais d'éviter de se laisser modeler, de conserver son individualité et de continuer à aimer les choses qui lui tiennent à cœur. La seule façon de rester elle-même et de garder son individualité serait de s'accorder suffisamment de temps pour méditer, lire, s'intérioriser et passer du temps avec les personnes qui lui sont chères. Si vous ne prenez pas le temps de vous ressourcer, vous serez prisonnier d'un véritable tourbilllon. »

Le docteur Moreau est guéri de sa dépression. Il a rédigé un essai sur ce qu'il a vécu pour Mayo Clinic Proceedings, *une revue s'adressant aux professionnels de la santé.*

« J'étais reconnaissant d'avoir pu reprendre une vie normale avec une vision plus réaliste et plus équilibrée des choses. Je désirais également parler au nom des gens souffrant de troubles émotifs et mentaux qui ne sont pas en mesure d'espérer un rétablissement complet. Je voulais dire que ces gens ne sont pas responsables de leur maladie et qu'ils méritent la même attention que nous donnons aux autres patients. »

Son dévouement envers la médecine est demeuré intact. Il croit qu'il a évolué en tant que médecin, particulièrement au niveau de son attitude vis-à-vis les personnes souffrant de maladies mentales. « Je me mets à leur place. Aujourd'hui, lorsque je rencontre des gens atteints de maladies mentales ou que je vois un patient qui a déjà vécu un problème de maladie mentale, je me sens intimement lié à lui. Je sens que nous avons quelque chose en commun. »

REVIVRE – Association québécoise de soutien aux personnes souffrant de troubles anxieux, dépressifs ou bipolaires, existe depuis 1991 comme organisme à but non lucratif qui a pour mission de venir en aide aux personnes atteintes de troubles anxieux, dépressifs ou bipolaires ainsi qu'à leurs proches, et ce, partout au Québec. Notre mandat est de diffuser de l'information sur ces maladies, favoriser le diagnostic et la prise en charge des personnes atteintes tout en brisant l'isolement qu'elles vivent, informer et supporter l'entourage de celles-ci et partager notre expertise avec les professionnels, les organismes, les milieux de travail et les autres intervenants du domaine de la santé mentale

Créée en 1991 par un groupe de personnes aux prises avec des problèmes de santé mentale, l'Association des dépressifs et des maniaco-dépressifs avait comme principal objectif de venir en aide aux personnes souffrant de ces maladies et à leurs proches. En 2001, l'Association des dépressifs et des maniaco-dépressifs devient **REVIVRE – Association québécoise de soutien aux personnes souffrant de troubles anxieux, dépressifs ou bipolaires.** Notre organisme intègre donc maintenant les troubles anxieux à travers ses services et programmes, tout en maintenant les activités en ce qui a trait à la dépression et la maniaco-dépression.

REVIVRE a toujours entretenu des liens étroits avec sa clientèle. Elle a donc pu identifier ses besoins les plus criants et y répondre adéquatement et efficacement, en mettant en place différents programmes et services.

Les services offerts par REVIVRE aux personnes atteintes de troubles anxieux, dépressifs ou bipolaires ainsi qu'à leurs proches sont les suivants :

• Ligne d'écoute, d'information et de références

La ligne d'écoute, d'information et de références est accessible gratuitement partout au Québec du lundi au vendredi, de 9 h à 21 h. Des bénévoles formés pour l'écoute téléphonique apportent réconfort et soulagement aux personnes en détresse, répondent à leurs questions et, si nécessaire, les orientent vers des ressources spécialisées. Les numéros pour nous rejoindre sont le 514 REVIVRE pour la région de Montréal et le 1 866 REVIVRE ailleurs au Québec.

• Groupes d'entraide

Les groupes d'entraide permettent aux personnes atteintes de troubles anxieux, dépressifs ou bipolaires de se rencontrer, de partager leurs difficultés et de tenter de trouver ensemble des solutions pertinentes afin d'améliorer leur situation. Les groupes comptent une douzaine de personnes et se réunissent une fois par semaine. D'autres groupes d'expression sont également offerts, tels que les ateliers d'art et les ateliers d'écriture. Ces rencontres ne sont ouvertes qu'aux membres de l'Association.

• Conférences

Deux fois par mois, le mardi soir, des professionnels œuvrant dans différents domaines (santé mentale, juridique, social, etc.) font une présentation au cours de laquelle les personnes atteintes et leurs proches reçoivent une foule de renseignements importants. Ces conférences sont gratuites pour les membres. Les non-membres peuvent cependant y assister, moyennant des frais d'entrée minimes.

- **Périodique** distribué gratuitement aux membres et aux professionnels concernés.

- **Centre de documentation** (imprimée et audiovisuelle) ouvert pour consultation.

- **Service d'information** et de références par **Internet** et par **courrier électronique.**

     Également, il existe à REVIVRE des programmes spécifiques répondant à des besoins particuliers :

• *Programme Jeunesse*

Ce programme est destiné aux jeunes âgés de 14 à 25 ans souffrant de troubles anxieux, de dépressifs ou bipolaires.

     En plus des autres services, les participants au programme peuvent recevoir une relation d'aide individuelle, de l'accompagnement ainsi qu'un suivi soutenu.

     Ce programme est supervisé par des intervenants qualifiés et aguerris.

• **Programme** *Milieu de travail*

Ce programme permet aux gestionnaires et aux employés d'être mieux informés sur les différents aspects physiques et psychologiques des troubles anxieux, dépressifs et bipolaires, et ce, en milieu de travail.

Il permet aussi d'identifier les différents signes et symptômes avant-coureurs de ces maladies et, conséquemment, d'accélérer le diagnostic et le traitement.

Le programme présente aussi des mécanismes pour la réintégration la plus rapide possible de l'employé, et ce, dans les meilleures conditions pour lui et son employeur.

Il permet ainsi de diminuer le taux d'absentéisme et de réduire les coûts importants que doit assumer l'entreprise confrontée à cette situation.

Des services d'écoute téléphonique, d'information, de prévention et de références sont également offerts aux gestionnaires et aux employés.

BÉNÉVOLAT

REVIVRE compte annuellement sur quelque 200 bénévoles pour accomplir sa mission. Néanmoins, l'Association a constamment besoin de nouveaux bénévoles pour répondre aux demandes d'aide et d'entraide de plus en plus grandissantes. Si vous désirez donner un peu de votre temps et contribuer ainsi au mieux-être des personnes atteintes de troubles anxieux, dépressifs ou bipolaires, ainsi que de leurs proches, veuillez composer le (514) 529-3081.

FINANCEMENT

REVIVRE a aussi besoin de l'appui financier du grand public. Pour ce faire, plusieurs moyens sont à votre disposition : dons (direct, testamentaire ou in memoriam), billets-dons (pour des spectacles de grande qualité), etc. Pour de plus amples renseignements, veuillez composer le (514) 529-3081.

Jean-Rémy Provost
Directeur général
REVIVRE

POUR JOINDRE REVIVRE

REVIVRE – Association québécoise de soutien aux personnes souffrant de troubles anxieux, dépressifs ou bipolaires.
801, rue Sherbrooke Est, bureau 500
Montréal (Québec) H2L 1K7

Ligne d'écoute, d'information et de références
(514) REVIVRE [738-4873]
1 866 REVIVRE [738-4873]

Courriel : revivre@revivre.org

Site Internet : www.revivre.org

Télécopieur : (514) 529-3083

Programme Jeunesse
Téléphone : (514) 529-8866
Courriel : programmejeunesse@revivre.org

Programme Milieu de travail
Téléphone : (514) 529-7552
Groupes d'entraide et conférences
Téléphone : (514) 529-3081

Sources d'informations complémentaires

Voici des noms d'associations et d'organismes avec lesquels vous pouvez communiquer pour obtenir de l'aide et des informations complémentaires sur la dépression.

LIGNES D'ÉCOUTE	
NOM DE L'ORGANISME	**TÉLÉPNONE**
REVIVRE – Association québécoise de soutien aux personnes souffrant de troubles anxieux, dépressifs ou bipolaires	(514) REVIVRE 1 866 REVIVRE
Appels suicidaires, à la grandeur du Québec (7/7, 24/24)	1 866 APPELLE
Association canadienne de la santé mentale	(514) 849-3291
Association des médecins psychiatres du Québec	(514) 350-5128
Société québécoise de psychologie du travail	(514) 689-2481
Fondation québécoise des maladies mentales	(514) 529-5354
Suicide Action Montréal (7/7, 24/24)	(514) 723-4000
Tel-Aide (7/7, 24/24)	(514) 935-1101
Tel-Écoute	(514) 493-4484
Ami-Québec (anglophones)	(514) 486-1448
Centre d'écoute et d'intervention Face à Face	(514) 934-4546
Centre d'écoute Le Foyer	(514) 493-6077
Centre d'écoute Le Havre	(514) 982-0333
Association des parents et amis des personnes atteintes de maladie mentale (A.P.A.M.M.) (services aux adultes seulement)	(514) 524-7131
Regroupement des ressources non-institutionnelles en santé mentale du Québec	(418) 640-5253

INTERNET
DÉPRESSION ET SANTÉ MENTALE (sites en français)
REVIVRE, Association québécoise de soutien pour les personnes souffrant de troubles anxieux, dépressifs ou bipolaires **http://www.REVIVRE.org/**
Association québécoise de suicidologie (AQS) **http://www.cam.org/aqs**

INTERNET
DÉPRESSION ET SANTÉ MENTALE (sites en français)
Fondation québécoise des maladies mentales **http://www.fqmm.qc.ca/**
Association canadienne pour la santé mentale **http://www.cmha.ca/**
F.F.A.P.A.M.M. (Fédération des familles et amis des personnes atteintes maladie mentale) **http://www.ffapamm.qc.ca/fr/jeunesse/accueil.asp** (Volet de Jeunesse)
Réseau canadien de la santé mentale (financé par et en partenariat avec Santé Canada) **http://www.canadian-health-network.ca/2sante_mentale.html**
Santé Canada **http://www.hc-sc.gc.ca/**
Santé Canada (Santé mentale en général) **http://www.hc-sc.gc.ca/hppb/sante-mentale/**
Société canadienne de psychologie (moteur de recherche de psychologues par ville et type d'expertise) **http://www.cpa.ca/**
Dépression, Aliments à privilégier et à éviter, Service Vie (Section Santé) **http://www.servicevie.com/02Sante/Cle_des_maux/D/maux69.html**
Faire face à la dépression (Pfizer) **http://www.depress.com/33/index.html**
Feeling Blue : Information sur la dépression, la phobie sociale, le trouble panique et le trouble obsessif-compulsif (GlaxoSmithKline) **http://www.feelingblue.com/index_f.html**
La dépression post-partum **http://www.servicevie.com/02Sante/Sante_femmes/Femmes02042001/femmes02042001.html;** **http://www.parentsdaujourdhui.com/html/sante/actualites/act160.htm ;** **http://mieuxvivre.sympatico.ca/etreparent/thematiques/postpartum1.html**
La dépression saisonnière (Northern Light) **http://www.northernlight-tech.com/**
Information sur la dépression (site européen) **http://www.depression.ch/francais.html**
Banque de données sur les médicaments (site européen) **http://www.biam2.org/**
Tel-Ecoute **http://www.tel-ecoute.org/**

INTERNET

DÉPRESSION ET SANTÉ MENTALE (sites en anglais)

Ami Québec, Alliance for the Mentally Ill
http://www.amiquebec.org/

Quebec Mental Illness Foundation
http://www.fqmm.qc.ca/

Canadian Mental Health Association
http://www.cmha.ca/

Canadian Health Network (funded by and in partnership with Health Canada)
http://www.canadian-health-network.ca/1mental_health.html

Health Canada
http://www.hc-sc.gc.ca/hppb/mentalhealth/index.html

Canadian Psychological Association (search engine for psychologists by city and type of expertise)
http://www.cpa.ca/

Canmat (Canadian Network for Mood and Anxiety Disorders)
http://www.canmat.org/index.shtml

Internet Mental Health (British Colombia)
http://www.mentalhealth.com/

Feeling Blue : Information on depression, social anxiety disorder, panic disorder & obsessive-compulsive disorder (GlaxoSmithKline Inc.)
http://www.feelingblue.com/

#1 Cause of Suicide : Untreated Depression (U.S.A.)
http://www.save.org/

What is depression? (MayoClinic.com – U.S.A.)
http://www.mayoclinic.com/invoke.cfm?id=DS00175

Seasonal Affective Disorder (Northern Light)
http://www.northernlight-tech.com/

Post-Partum Depression (U.S.A.)
http://www.depressionafterdelivery.com/ ;
http://www.psycom.net/depression.central.post-partum.html ;
http://www.postpartumhealth.com/ ; http://www.postpartum.net/

Screening for Mental Health (U.S.A.)
http://www.mentalhealthscreening.org/

Dr. Ivan's Depression Central (information on medication – U.S.A.)
http://www.psycom.net/depression.central.drugs.html

Depression and Bipolar Support Alliance (DBSA)
http://www.ndmda.org/

INTERNET
DÉPRESSION ET SANTÉ MENTALE (sites en anglais)
All About Depression (by Prentiss Price, Ph.D.) (U.S.A.)
http://www.allaboutdepression.com/
Mental Health Help (U.S.A.)
http://mentalhelp.net/poc/center_index.php?id=5
Mental Health Channel (U.S.A.)
http://www.mentalhealthchannel.net/
National Alliance for the Mentally Ill (U.S.A.)
http://www.nami.org/
PsychDirect : Evidence-based Mental Health Education and Information (Ontario)
http://www-fhs.mcmaster.ca/direct/
Dealing with Depression (Pfizer)
http://www.depress.com/
Beacon of Hope : Help For Partners Of Those Touched By Mental Illness
http://www.lightship.org/
Expert Consensus Guidelines : Psychiatric treatment guidelines
http://www.psychguides.com/
Jane's Mental Health Source Page
http://www.chinspirations.com/mhsourcepage/index.html
The Samaritans (UK)
http://www.samaritans.org/
Suicide Prevention Help
http://suicideprevention.tripod.com/suicidepreventionhelp/index.html

Index

Transcontinental
IMPRESSION
IMPRIMERIE GAGNÉ

IMPRIMÉ AU CANADA